D0523699

DE L'HOROSCOPE À L'ASTROLOGIE

«Une question d'éducation»

DÉJÀ PARUS:

De Micheline Mondor:

Le temps d'un arc-en-ciel, Éd. Mont d'or Ltée, 1981.
Réflexions sur la vie antérieure, Alex Tanous.
Traduction et adaptation de l'américain, Éditions de Mortagne, 1984

Éric BROWN

Micheline MONDOR

DE L'HOROSCOPE À L'ASTROLOGIE

«Une question d'éducation»

Illustrations: Micheline MONDOR

Auteurs:
Éric Brown
Micheline Mondor

Édition:
Les Éditions de Mortagne
171, boul. de Mortagne
Boucherville Québec
J4B 6G4
Tél.: (514) 641-2387

Dépôt légal:
Bibliothèque nationale du Canada
Bibliothèque nationale du Québec
4e trimestre 1985

ISBN: 2-89074-206-7

1 2 3 4 5 — 89 88 87 86 85

IMPRIMÉ AU CANADA

LES AUTEURS TIENNENT À REMERCIER
CEUX QUI LES ONT INSPIRÉS
AU COURS DES DOUZE ÉTAPES
DE CE VOYAGE.
UN MERCI TOUT PARTICULIER À NICOLE.

NOTE DES AUTEURS:

Par commodité, le masculin englobe le féminin sauf quand le texte demandait l'emploi exprès de ce dernier.

De plus, tous les noms des personnes mentionnées dans ce livre sont fictifs. Seules les situations décrites sont exactes.

INTRODUCTION

«Vous vous souciez de voyager à l'extérieur, mais vous ne savez pas vous occuper de la contemplation intérieure. En voyageant à l'extérieur, nous cherchons dans les choses ce qui nous manque; par la contemplation intérieure, nous trouvons à nous satisfaire en nous-mêmes. Cette dernière façon de voyager est parfaite, l'autre est imparfaite ... Le parfait voyageur ne sait où il va; le parfait contemplateur ignore ce qu'il a devant les yeux.»

(Lao Tseu, IVe siècle av. J.C.)

«Un ignorant cherchait un feu une lanterne à la main. S'il avait su ce qu'était le feu, il eut pu cuire son riz beaucoup plus vite.» (Proverbe zen)

Oui ! Nous vous invitons à un voyage, mais à un voyage d'un type bien particulier. On a beaucoup écrit sur l'astrologie, on en a beaucoup parlé. On pourrait presque dire qu'il y a autant d'opinions qu'il y a d'individus. Mais, à la base, nous croyons que tous seront d'accord pour dire que l'astrologie ne sert pas seulement à prédire mais qu'elle aide aussi à la compréhension de ce que nous sommes.

Ainsi, combien de fois vous êtes-vous demandé ce qui vous poussait à agir ? Combien de fois vous êtes-vous interrogé sur ce que vous étiez ? Et qui parmi nous n'a pas eu la tentation à l'occasion, et même plus souvent quelquefois, de consulter l'horoscope du matin ? Une petite voix intérieure ne vous dit-elle pas que peut-être cela pourrait se produire ? Mais l'astrologie est bien plus que cela.

Savez-vous pourquoi on dira souvent par exemple :

— que le Bélier est courageux et épris de liberté mais qu'il est impatient et veut tout avoir sur-le-champ ;
— que le Taureau est pratique, patient et a un sens certain des valeurs mais qu'il peut être possessif, paresseux et qu'il peut être difficile de le faire changer d'avis ;
— que le Gémeaux s'adapte facilement, qu'il est vif et plein d'esprit mais qu'il peut être aussi inconstant, changer continuellement d'opinion et être superficiel ;

— que le Cancer peut être bon et sensible avec un fort instinct de protection mais qu'il peut être aussi trop émotif, susceptible et quelquefois instable ;
— que le Lion a le sens du drame et peut être généreux et enthousiaste mais qu'il peut être aussi snob, pompeux et intolérant ;
— que la Vierge peut être méticuleuse, très propre avec un excellent esprit analytique mais qu'elle peut être aussi trop critique, très conventionnelle et très souvent angoissée ;
— que la Balance peut être charmante, facile à vivre et cherchant l'harmonie avant tout mais qu'elle peut être aussi frivole, facilement influencée par les autres et souvent indécise ;
— que le Scorpion peut avoir des émotions profondes, un excellent sens du but à atteindre et être très subtil mais qu'il peut aussi être jaloux, entêté et rancunier ;
— que le Sagittaire a un bon jugement, est optimiste, sincère et idéaliste mais qu'il peut aussi avoir tendance à l'exagération, être irresponsable et manquer de tact ;
— qu'on peut se fier au Capricorne, qu'il est persévérant et a le sens de la discipline mais qu'il peut être trop exigeant, conventionnel, froid et quelquefois avare ;
— que le Verseau peut avoir un sens humanitaire développé, être amical et visionnaire mais qu'il peut aussi être imprévisible, rebelle, cherchant par tous les moyens à étonner les autres ;
— que le Poissons peut être compatissant, sensible et réceptif mais qu'il peut aussi être trop secret, facilement confus et incapable de faire face aux réalités pratiques.

Vous croyez le savoir ? Suivez-nous tout au long de ce voyage et vous saurez si vous avez raison. Mais encore une fois, l'astrologie peut être bien plus que cela. Chaque signe, ou phase, fait partie d'un tout et chacun des éléments agit sur les autres. Les douze signes du zodiaque se partagent en deux grandes catégories : les signes individuels, du Bélier à la Vierge, et les signes sociaux de la Balance aux Poissons.

Ainsi, les natifs et les natives des six premiers signes développent leur nature sur la base d'expériences personnelles tandis que ceux et celles des six derniers signes évoluent sur la base d'expériences sociales. En fait, dans les six premiers signes, l'individu découvre qui il est «par rapport» aux autres et non «en rapport» avec les autres.

Mais alors, direz-vous, cela ne correspond pas à l'image que je me faisais de certains signes dont le Gémeaux par exemple. Il me semblait que son interaction sociale était assez étendue. Bien sûr, le Gémeaux peut avoir une action sociale mais il faut comprendre qu'il a besoin de cette interaction pour vérifier certains mots, certains concepts, pour explorer intellectuellement les nombreux rapports entre ce qu'il est et ce qu'il n'est pas, toujours dans le but de découvrir sa place dans cet espace. Il a donc besoin de la collaboration des autres pour lui fournir les éléments et les données pour comparer et adapter. N'oubliez pas que c'est le «codificateur» du zodiaque.

Il n'y a pas de causes sans effets et les planètes ont peut-être bien une influence sur nos vies et peut-être même sur nos destinées. Nous vous proposons donc un voyage à l'intérieur de vous-mêmes, un voyage vieux comme le monde. L'astrologie est une science millénaire et nous sommes convaincus qu'elle n'a pas encore dévoilé tous ses secrets.

L'ASTROLOGIE, UN SYSTÈME

«Lorsque nous observons ce rythme (des saisons), nous constatons qu'il y a quatre saisons de trois mois chacune. Le premier mois porte en lui la promesse de toute la saison et forme le commencement. Le second mois constitue le plus haut développement de la saison et sa plus claire manifestation : il maintient pendant un certain temps l'impulsion initiale. Puis vient nécessairement le troisième mois tout au long duquel se prépare le passage à la saison suivante et dans lequel est contenue l'idée de laisser-aller menant à une forme nouvelle. La fin est déjà contenue dans le commencement de la saison tout comme le fait de naître comporte irréversiblement l'idée de la mort ultérieure. Le fait qu'on soit en été suppose qu'un jour viendra l'hiver et vice versa.»

(Tiré du I Tching)

De la même façon, l'astrologie peut être comparée au rythme des saisons. Chaque signe du zodiaque représente un cycle différent, une étape à franchir. Ainsi, la fonction de l'astrologie n'est pas nécessairement de nous dire ce qui arrivera ou ce qui peut arriver dans le futur mais de nous indiquer plutôt la signification du moment ou du cycle qui se vit ou sera vécu.

Les planètes, dans une charte, sont un des éléments qui nous aideront à identifier ces moments que nous aurons à vivre ou que nous vivons. Elles sont au nombre de dix : le Soleil, la Lune, Mercure, Vénus, Mars, Jupiter, Saturne, Uranus, Neptune et Pluton. Mais le Soleil et la Lune ne sont pas des planètes direz-vous ? Vous avez tout à fait raison. Cependant, pour simplifier les choses, en astrologie, ces deux astres sont considérés comme des planètes.

Voyons plutôt ce que viennent faire chacune de ces dix planètes en astrologie. Il faut tout d'abord bien comprendre que les douze signes du zodiaque ne sont pas dispensateurs d'énergie. En eux-mêmes, ils sont neutres. Chaque signe agit plutôt comme un filtre au-travers duquel passe l'énergie des planètes. Comme vos verres fumés qui filtrent l'éclat du soleil.

Et de toutes les planètes, c'est le Soleil qui transmet le plus d'énergie. C'est pourquoi vous entendrez souvent les gens demander : «Quel est ton signe ?» Cela veut tout simplement dire : «Dans quel signe se trouvait le soleil à ta naissance ?»

Le Soleil constitue donc l'élément astrologique le plus important puisqu'il correspond à notre volonté, à notre individualité. Cependant, les autres planètes viennent également nous influencer et elles ne se trouvent pas nécessairement dans le même signe que le Soleil. C'est ainsi que plusieurs personnes auront quelquefois de la difficulté à se reconnaître quand on donne la description de leur signe.

En fait, il faut bien retenir que le Soleil est l'expression créatrice du moi et de la volonté d'être. Si donc votre Soleil se trouve par exemple en Sagittaire, vous aurez sûrement tendance à vouloir être créateur comme un Sagittaire. Cependant, direz-vous, cela ne me renseigne pas pour autant sur ma façon d'aimer, de penser ou même de prendre des initiatives.

C'est vrai. C'est l'emplacement des autres planètes par signes qui vous donnera ces autres renseignements. Voyons donc brièvement cette influence des autres planètes sur nous.

Ainsi, la Lune correspond à notre degré de sensibilité et de réceptivité à partir de prédispositions subconscientes. Si vous avez la Lune en Taureau, par exemple, étudiez ce signe pour savoir comment vous réagissez et quelles sont vos attitudes face aux circonstances de la vie quotidienne.

Mercure indique votre façon de penser et de communiquer.

Vénus, votre manière d'exprimer votre sentimentalité ainsi que le genre de personne qui vous attire.

Mars indique comment vous exprimez physiquement vos énergies, la façon dont vous vous affirmez.

Jupiter dénote votre façon de croître et de vous épanouir.

Saturne indiquera votre façon d'être prudent, précis, méthodique mais également comment vous pouvez être froid et méfiant. Cette planète vous aide également à stabiliser vos structures personnelles.

Uranus donnera votre degré d'indépendance et votre refus de vous adapter. Elle a tendance à briser les structures enracinées.

Neptune indiquera votre degré de raffinement, vos inspirations mais aussi vos craintes injustifiées. Alors qu'Uranus brisait les structures enracinées, Neptune les dissout afin de les universaliser.

Enfin Pluton dénotera la façon dont vous effectuerez les transformations radicales.

Si vous ne savez pas dans quel signe se retrouve chaque planète, nous vous conseillons d'appeler une librairie spécialisée sur le sujet et de leur demander de retracer la position des planètes pour le jour et l'année où vous êtes nés.

De plus, au chapitre sur les planètes, nous indiquons l'influence des planètes dans chacun des signes. Mais ce livre veut surtout vous faire connaître chacun des signes, ce qu'il est et comment il interagit sur les autres.

L'astrologie est un système presque aussi vieux que le monde et dans lequel chacun doit trouver sa place. Il ne vous reste qu'à franchir la première porte, celle du Bélier pour entrer dans l'univers de l'astrologie et tenter de découvrir la nature et le caractère de vos amis.

NOTE:

IL NE FAUT PAS OUBLIER QUE CE QUE VOUS LIREZ S'APPLIQUE UNIQUEMENT SI LE SIGNE EST PUR. PUISQUE AUCUN SIGNE NE L'EST, IL FAUT ALORS EXERCER SON JUGEMENT LORSQUE L'ON SE FAIT UNE IDÉE SUR UN INDIVIDU.

LE BÉLIER

LE BÉLIER
21 MARS - 20 AVRIL

LE BÉLIER

Et le voilà parti à bride abattue, au rythme du galop de son cheval, plus vite que le vent. Une belle dans un village à la frontière est aux prises avec des rebelles et notre cow-boy, n'écoutant que son instinct, s'envole à son secours. On lui a bien dit que c'était dangereux et qu'il devrait prendre plus de précautions. Mais fi ! On a besoin de lui maintenant et il n'a que faire des conseils de prudence. Chevalier des temps presque modernes, il se sent à son aise dans sa lutte quasi continuelle contre les fauteurs de troubles. Et quand il retrouvera la femme qu'il aime, il sera comme au combat. Il l'aimera rapidement, passionnément; d'autres défis l'attendent au pays voisin.

Comment vous expliquer ce Bélier que j'aime beaucoup ? Je pourrais vous dire qu'il est impulsif, indépendant, énergique, enthousiaste. Et je pourrais continuer en ajoutant qu'il a beaucoup d'audace, qu'il aime les défis, la vitesse et qu'il ne s'encombre pas de détails inutiles.

Mais notre Bélier est bien plus que cela. En fait, commençons par le commencement puisqu'il s'agit du premier signe du zodiaque, de la première phase à vivre par l'homme et qu'il marque le début, le matin, le printemps.

Être de feu, le Bélier émerge des brumes du chaos du Poissons[1]. Il est possédé de cette énergie qui l'a aidé à sortir de cette masse élémentaire et indifférenciée. Ainsi, cette énergie pure et incontrôlée a besoin de se manifester et de répondre à un besoin bien précis. Notre Bélier sera donc créateur d'énergie. C'est également un signe de polarité positive qui désire commencer l'action pour influencer le monde extérieur plutôt que de se laisser influencer par lui.

Il amorce le zodiaque et n'a donc pas encore subi de défaite. Il n'a peur de rien et demeure convaincu que tout lui est permis. Symboliquement parlant, il prend intuitive-

---

1. Le Poissons symbolise l'inconscient collectif dans lequel nulle discrimination absolue ou nulle séparation n'existe.
Tout s'y fond et de cette matrice le Bélier puise toutes ses énergies renouvelées.

ment et instinctivement conscience qu'il «EST». C'est pourquoi il veut agir à tout prix, affirmer son individualité.

C'est ainsi qu'un jour, je me retrouvai en panne sèche. J'avais un rendez-vous urgent et me cassais la tête à essayer de trouver quelqu'un pour venir me dépanner. Je pensai alors à mon ami Bélier. Je lui téléphonai et lui expliquai la situation dans laquelle je me trouvais. J'allais lui indiquer où j'étais quand j'entendis le déclic de l'appareil. Voilà bien mon Bélier, me dis-je. Il part en courant sans s'inquiéter de savoir comment me retrouver.

Mon Bélier, effectivement, me retrouva puisqu'il était au courant du rendez-vous qui m'attendait et avait une bonne idée de l'endroit où je pouvais l'attendre. Quand enfin il arriva, je lui mentionnai qu'il aurait pu attendre avant de raccrocher.

«Quelle importance», me dit-il, je t'ai retrouvé.»

Reconnaissez-vous votre Bélier ? Mais il est encore un signe masculin et, plus que tout autre signe masculin, il a horreur de paraître faible. C'est pourquoi, même déprimé, il se confiera avec beaucoup de difficulté. Ne vous inquiétez pas trop : ses «déprimes» sont habituellement de courte durée parce qu'il est avant tout un signe d'action.

Et l'action pour lui, c'est la ligne droite. Ne lui expliquez pas une situation pendant trois heures. Il vous arrêtera au beau milieu de votre exposé pour vous faire sentir en termes bien clairs qu'il a compris. Il a saisi l'ensemble, les détails lui importent peu. Et d'ailleurs, quand il aura quelque chose à vous dire, il ne prendra pas de gants blancs. Il ira droit au but et tant pis si cela ne vous plaît pas. Voyez-vous, il n'est pas un diplomate-né. Souvenez-vous, il agit d'abord et il pense ensuite. Mais une de ses grandes qualités est quand même d'être lui-même.

Notre Bélier est donc un signe de feu et n'apprécie pas du tout qu'on lui impose des idées ou des limites trop sévères. Et si vous avez quelque chose à lui demander ou à lui expliquer, soyez bien précis sinon il n'en fera qu'à sa tête. C'est d'ailleurs le signe le plus prompt à la colère mais c'est également celui qui reste fâché le moins longtemps. Sa colère sera comme un feu de paille qui brûle à toute vitesse et qui se consume aussi vite.

Il a bien sûr les qualités de ses défauts et c'est pour cette raison qu'il agit parfois trop rapidement sans avoir vraiment senti, comme l'aurait fait le Taureau dont c'est une caractéristique terrestre. Le Bélier flambe dans l'action, le Taureau sent par ses racines, la terre, le Gémeaux aérien pense et notre Cancer ressent dans l'eau de l'inconscient. De plus, le Bélier ne fait appel qu'à une des quatre fonctions psychiques d'orientation[2] nécessaires au bon fonctionnement d'une personne. Nous aurons l'occasion d'y revenir.

Notre Bélier, donc, puisqu'il veut tout, tout de suite, ne sera pas un amant patient et il exprimera bien souvent son affection dans sa sexualité. En fait, on peut dire que l'expression «le repos du guerrier» s'applique bien à ce signe. Ce n'est pas qu'il n'aime pas, mais il n'a pas de temps à perdre dans les méandres romantiques de l'amour. Les manifestations d'affection le mettent mal à l'aise et il n'appréciera pas outre mesure les «petits becs» en public. Il pourrait dire alors :

«Écoute, attends que nous soyons à la maison. Il y a moins de monde.»

Et le jour où il vous dira qu'il vous aime, enregistrez-le. Il ne vous fera pas de telles déclarations tous les jours, ce qui ne veut pas dire qu'il ne vous aime pas.

D'ailleurs, il revient du travail comme du combat et il éprouvera un plaisir enfantin à vous retrouver et j'ajouterais presque, comme Tarzan retrouve Jane après ses combats dans la jungle. Et que de charme il a, ce Bélier. Il n'y va pas par quatre chemins mais on a toujours un peu de difficulté à lui résister. En fait, au moment où vous vous y attendrez le moins, il vous aura déjà emportée sur son cheval dans une course échevelée.

Il retournera ensuite vers de nouveaux combats; il est ainsi. Mais même s'il ne vous l'avoue jamais, il a besoin de vous pour le motiver et lui assurer cette sécurité dont il a tant besoin. Sa soif d'action le pousse toujours vers l'avant mais il est bien content de revenir au port. «Le repos du guerrier», je vous l'ai dit.

---

2. Telles que décrites par Jung.

Mais, vous inquiéterez-vous, comment alors un Bélier peut-il être fidèle ? En fait, c'est bien simple. Laissez-le libre d'agir à sa guise et votre Bélier vous reviendra toujours.

Et pourquoi pas puisqu'il fait ce qu'il veut ? De plus, vous ne vous ennuyez jamais avec lui ce qui ajoute encore à son charme. Les idées ne lui manquent pas, il les créerait même.

Ainsi, comme je vous le disais plus haut, le Bélier est rarement romantique. Dans la vie de tous les jours, il ne s'embarrassera pas de belles phrases pour vous dire ce qu'il veut ou ce qu'il désire faire. Rappelez-vous, il est tout feu, tout flamme. Encore une fois cependant, c'est un feu de paille qui se consume rapidement. Il a donc constamment faim de nouveaux stimuli.

Et la même chose s'applique quand il s'agit du travail. Il aura besoin d'un travail où il peut s'impliquer, tout en restant libre de ses paroles et de ses mouvements. Ce qui me rappelle encore mon ami Bélier. Dès qu'il s'agissait de réunions pour trouver une solution à une situation quelconque, il se retrouvait dans son élément. Il devenait l'âme de ces «brain-storming» et à peine une idée était-elle lancée qu'il revenait à la charge avec une autre et ainsi de suite presque sans arrêt. Il est bien entendu qu'il nous laissait le soin de les développer de façon plus approfondie . Pour lui, l'idée était là, il ne trouvait plus aucun intérêt à s'en occuper.

De plus, comme il aime commencer les choses, on retrouvera souvent notre Bélier chef d'importantes organisations. Non pas qu'il ait nécessairement les qualités de chef ou d'organisateur ; il laissera plutôt ces détails aux autres. Mais tout simplement, il accepte difficilement qu'on lui donne des ordres et il s'organise donc en conséquence et devient patron.

Mais, imaginez votre Bélier au travail. Il lui faut des défis constants. S'il n'en a pas ou si les événements ne se déroulent pas assez vite à son goût, il trouvera mille prétextes pour s'absenter ou pour faire autre chose qui ne lui est pas demandé. Pour lui, un monde sans défis est un monde ennuyeux.

Alain me confiait récemment:

«C'est intéressant ce que tu dis parce qu'il n'y a pas longtemps j'ai réalisé que je pouvais agir ainsi. Il y a une énorme différence entre mon comportement et la façon dont les gens me voient.

Maintenant, je veux éviter autant que possible de dire aux gens : «Avez-vous fini de perdre votre temps ? Comment se fait-il que vous n'ayez pas encore compris ?» En conséquence, je vais aux toilettes, je rends mes appels ou je vais boire un café. Quand je reviens cependant, les gens ont presque toujours l'impression que je ne suis pas intéressé par le sujet. Cela n'est pas exact.

Bien sûr, je n'agis pas ainsi tous les jours mais quelquefois, je ne peux vraiment pas tolérer ces réunions, je m'en sens incapable. Ainsi, des comportements typiques comme : analyser plus profondément ; mesurer vraiment la portée de ce que l'on a mis sur pied sont pour moi des stratégies pour réussir à ne rien faire. C'est une façon de réussir à noyer le poisson ou à empêcher qu'on agisse.

Et quand je ressens ces attitudes trop fortement, au lieu de bousculer tout le monde, ce que je faisais avant d'atteindre l'âge de 29 ans, je sors, j'essaie de trouver un moyen de me détendre avant d'exploser.»

Et c'est un comportement typiquement Bélier. Très compétent pour commencer tout nouveau projet, il aura tendance à les laisser en plan ou, du moins, à s'en désintéresser considérablement dès qu'il n'est plus captivé. Il lui faut donc une profession ou un métier dans lequel il puisse allier action et idées. S'il n'est pas heureux au travail, il développera souvent des maux de tête qu'il s'empressera bien sûr de vous faire partager.

En fait, un Bélier malheureux, dans quelque domaine que ce soit, deviendra souvent impatient et pourra se lancer sans réfléchir dans n'importe quel projet abracadabrant pourvu qu'il y trouve la satisfaction d'agir. Ou bien, pour compenser, il conduira souvent sa voiture comme s'il se trouvait sur une piste de course. Il serait alors prudent de ne pas l'accompagner car vous pourriez avoir des sueurs froides.

Mais le Bélier finira rarement ce qu'il entreprend, me direz-vous ? En fait, pas nécessairement. Bien sûr, l'idée derrière la réalisation est plus importante pour lui que la réalisation elle-même. Mais si le projet lui offre des défis continuels, il le mènera à sa fin. Sinon, il aura besoin des autres pour le réaliser et le meilleur signe pour l'aider sera le Taureau qui a besoin, lui, d'établir des bases solides. Le zodiaque est un système et chaque signe a besoin des autres pour tirer le maximum de ce qu'il est.

Puisqu'il émerge de la matrice indifférenciée du Poissons, le Bélier a spirituellement en lui toute l'énergie de la création. Il n'est jamais à court d'idées mais quand il s'agit de les concrétiser, il aurait avantage à comprendre qu'il a besoin des autres même si c'est contraire à sa nature de travailler avec quelqu'un d'autre.

Prompt à l'action, notre Bélier est un Don Quichotte dans l'âme. Mais il devra toujours s'assurer que les causes dans lesquelles il s'engage sont justes et dignes de l'énergie qu'il y consacrera.

TABLEAU SOMMAIRE DU BÉLIER

Mot Clé	JE SUIS
Principe	Création intuitive et instinctive d'énergie pure à partir du magma originel. Cette énergie veut être la réponse à un besoin.
Polarité	Positive
Croix	Action
Élément	Feu
Maître	Mars
Symbole	♈

QUALITÉS	DÉFAUTS
audacieux	individualiste (ou qualité...)
intrépide	impulsif
entreprenant, hardi	fougueux
fonceur, déterminé	pétulant
téméraire	impatient
compétitif, courageux	changeant
énergique	inconstant
intuitif, instinctif	
authentique	

LE TAUREAU

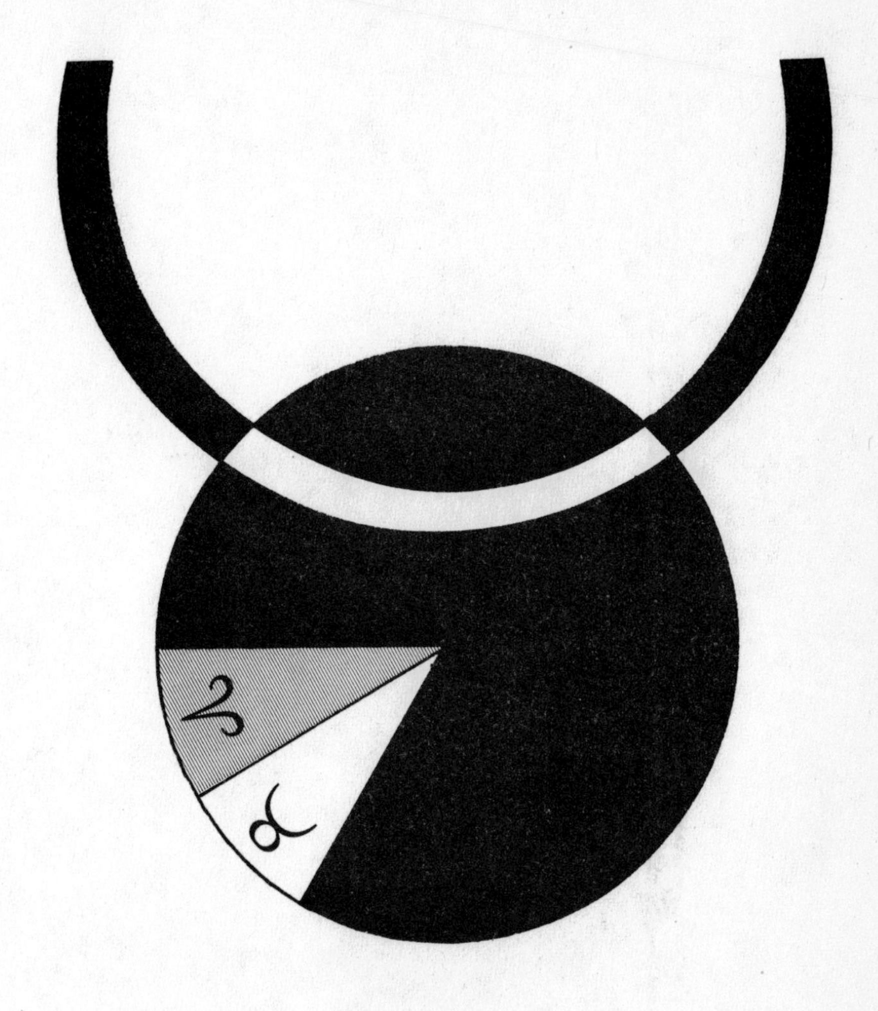

LE TAUREAU
21 AVRIL - 20 MAI

LE TAUREAU

Selon son habitude immuable, Néro Wolfe descendit de la serre à 6:00 heures, après deux heures de session avec ses orchidées. J'entendis la porte de l'ascenseur s'ouvrir puis se refermer et il entra dans le bureau. Il se dirigea alors lentement vers son fauteuil, fait sur mesure à cause de sa taille imposante, et s'y installa confortablement. Puis, selon un rituel bien établi, il sonna Fritz qui lui apporta bientôt deux bières bien fraîches. Avant le souper, comme toujours à 8:00 heures, il en boira une bonne demi-douzaine.

J'ai vécu avec lui de nombreuses années et je puis vous assurer que c'est un homme qui aime son confort. Ainsi, s'il le pouvait, il passerait son temps à jouer avec ses orchidées ou à goûter, jour après jour, les nouveaux plats que lui mijoterait le cuisinier. Heureusement que je suis là car, croyez-moi, l'intéresser à une nouvelle affaire n'est pas toujours chose facile.

Il ne pourrait supporter d'être privé de son confort et il sait donc qu'il n'a pas le choix. Quand il accepte un nouveau client, cependant, il n'a de cesse que tout soit résolu aussitôt que possible afin de retourner, le plus rapidement possible, à ses occupations favorites et à son train-train quotidien. La vie avec lui devient alors intenable.

Et comme en plus il a horreur de se déplacer, je suis alors non seulement son secrétaire et son homme à tout faire, mais également son garçon de course. Quelquefois, je pense qu'il est fort heureux qu'il m'ait engagé.

(Commentaires recueillis lors d'une entrevue avec Archie Goodwin)

Après le Bélier fougueux, nous allons maintenant rencontrer le paisible Taureau. En effet, chaque signe masculin, ou positif, trouve son complément dans le signe féminin, ou négatif, qui le suit.

Le Bélier est un signe de polarité positive et l'énergie qu'il émet se dirige du centre vers l'extérieur. Il en est tout autrement pour le Taureau. Comme d'ailleurs tous les autres signes de polarité négative, son énergie va de l'extérieur vers le centre. Le calme du Taureau apaise le Bélier dont l'impulsion pure peut alors se manifester et prendre forme. Le Taureau confère de la stabilité et de la constance aux énergies incontrôlées du Bélier en lui permettant de les incorporer à la matière. Ainsi, imaginez-vous le Bélier qui voudrait partir à toute allure vers une quelconque aventure. Notre tranquille Taureau le retiendrait sûrement par les cornes.

Parce que, voyez-vous, le Taureau n'agit à peu près jamais de façon offensive. Ainsi donc, il ne brusquera pas son entourage préférant plutôt en tirer avantage pour s'assurer le maximum de sécurité matérielle. Mais, n'allez pas sous-estimer votre Taureau. Son approche défensive peut être bien supérieure à toute lutte offensive. Le Taureau a l'avantage du temps et de l'endurance et il entend bien en profiter.

C'est également un signe fixe. Il sera donc habituellement calme et agira souvent de propos délibéré. Surtout, surtout, n'allez jamais brusquer votre Taureau. Plus vous le bousculerez et plus vous l'obligerez à aller vite et plus il se rebellera et perdra de son efficacité. C'est d'ailleurs ce que m'affirmait bien ingénument Marielle, une Taureau avec laquelle je travaille.

«Vois-tu, me dit-elle, je suis incapable de travailler sous pression. Je me sens bousculée et j'ai l'impression que je ne sais plus rien faire. Je deviens alors de très méchante humeur parce que je me sens perdue.»

Et voilà. Elle ne se sentait plus en sécurité et avait la sensation que la terre s'effondrait sous elle. Et Dieu sait combien ils ont besoin de sécurité, nos amis Taureau.

La sécurité, pour un Taureau, c'est le temps qu'il prend pour se décider, le temps qu'il met à se faire une idée sur quelqu'un ou quelque chose. Bien sûr, si vous êtes Bélier, la lenteur du Taureau vous rendra sûrement un peu fou. N'oubliez pas qu'en agissant ainsi, le Taureau est rarement obligé de revenir sur ses décisions. Il sera donc habituellement constant dans ses amitiés, il ne s'y décide pas subitement et puisqu'il prend le «temps», il sera exceptionnel qu'il ait à recommencer ou à modifier ses projets initiaux.

Le Taureau sait très bien qu'aucune initiative valable ne donnera de résultats concrets s'il n'y a pas un investissement personnel. Et pour notre Taureau, c'est un pensez-y bien. Il sait qu'il aura à investir son temps, son argent ou de lui-même et que tous ses sens seront alors requis pour s'occuper de ce nouveau défi. Et pour réaliser ce nouveau défi, notre Taureau sait encore très bien qu'il devra renoncer à certaines structures, peut-être aussi à un certain confort matériel auquel il s'est habitué. Il ne faudrait donc pas lui demander de se précipiter tête baissée dans une nouvelle aventure.

Et voilà ma collègue Taureau qui m'annonce qu'elle veut changer de travail et faire quelque chose qui lui permette de se réaliser. Inutile de vous dire que j'en suis resté bouche bée. Mais en fait, j'aurais dû prendre conscience que si elle m'en parlait, c'est qu'elle avait mûrement réfléchi, qu'elle avait pris le temps de tout analyser. C'est ainsi qu'elle me confia :

«Tu sais, j'ai participé à plusieurs ateliers d'orientation et j'ai complété plusieurs tests afin de trouver ce qui correspondrait le plus à mes talents naturels.»

Ainsi donc, après toutes ces recherches intensives, Marielle en arriva à la conclusion qu'elle serait effectivement plus heureuse dans un autre genre d'emploi qui conviendrait mieux à ses talents naturels. Il ne lui restait donc qu'à trouver ce nouvel emploi. Mais, un instant ! C'est encore aller trop vite: elle est Taureau et la précipitation n'est pas son fort. Bien sûr, elle sait qu'elle devra chercher un autre genre d'emploi mais la réalité est toute autre. Et comme elle le dirait elle-même, un pas à la fois.

Le désir est là, c'est certain. Mais de là à le concrétiser, c'est une autre histoire. Marielle a une profession qui lui assure financièrement la sécurité matérielle tant recherchée par tous les Taureau et elle devra elle-même se sécuriser face à cette réalité avant d'entreprendre autre chose.

Oui, le Taureau est préoccupé par l'acquisition et l'accumulation de biens matériels. Et vous savez pourquoi ? Tout simplement parce que c'est la seule façon pour un Taureau de réaliser concrètement ce qui a été entrepris à l'étape Bélier. Vous vous souviendrez que notre Bélier semait les idées à tout vent. Mais une idée, fût-elle la meilleure, doit prendre racine, se matérialiser pour s'accomplir.

Étant cependant ce qu'il est, notre Taureau a besoin d'un but pour agir et rien alors ne l'en détournera à moins qu'il ne soit profondément perturbé émotivement. Et la même chose s'applique à tous les signes fixes d'ailleurs. Quel meilleur exemple que la tortue de La Fontaine ? Je suis convaincu qu'elle devait être Taureau. Ainsi, le lièvre avait beau s'amuser et la narguer, elle ne l'écoutait pas, attentive au but qu'elle poursuivait. Elle allait à son rythme, tranquillement, et vous vous rappellerez qu'elle gagna.

De plus, notre Taureau s'attache avant tout aux choses concrètes et réelles. Vous vous en doutiez, bien sûr. N'allez pas lui parler d'à-peu-près ou de possibilités. Pour lui, cela n'est pas suffisant. Ainsi, Jacques devait faire réparer sa voiture et attendait pour ce faire, un chèque qui devait lui parvenir sous peu. Mais voilà, il apprend que ce montant d'argent ne lui parviendra pas au moment où il l'attend.

— Tu vas faire réparer ta voiture quand même ! lui dis-je.

— Non, me répondit-il, seulement quand j'aurai reçu ce chèque.

Pour un Taureau, un «tiens» vaut mieux que deux «tu l'auras».

Ce Taureau d'apparence paisible, est également un signe de terre et sa priorité ira, on le comprendra, à la matière. Mais voyons, vous avez certainement déjà vu votre Taureau prendre ses aises, s'abandonner au confort, aux joies des plaisirs terrestres. Regardez-le vivre : il doit voir, entendre, goûter, palper, humer. Je dirais presque que le Taureau vit avec amour. Vous savez, il y met le temps. Il ne faudrait donc pas s'étonner qu'il soit un jouisseur, jusque dans les vêtements qu'il porte.

Oui, le Taureau aime son confort et dans une société où l'argent achète le confort matériel, il ne faudrait pas s'étonner qu'il n'ait pas envie d'en manquer. Quoiqu'il semblerait qu'il en manque rarement.

Son mari venant de perdre son emploi, une amie Taureau réagit de façon bien personnelle à ce besoin de sécurité matérielle. Rappelez-vous qu'elle aime son confort. Dans ces circonstances, elle devint intraitable et fut sans pitié pour tout ce qui pouvait mettre en danger le peu de sécurité matérielle qui lui restait. C'était pendant une période particulièrement froide de l'hiver et durant tout le temps où son mari fut sans emploi, elle maintint la température de la maison à 12 degrés C. Je dois avouer qu'il fallait beaucoup plus qu'une «petite laine» pour se tenir au chaud. Finalement, elle entendit raison parce que, comme la plupart des Taureau, elle adorait les plantes. Sinon, toute la famille aurait vécu dans ses vêtements d'hiver tant que la situation ne se serait pas rétablie.

Mais je vois déjà pointer votre curiosité. En amour ? Comment se comportera le Taureau ? Alors voilà. Vous savez maintenant que votre Taureau est un signe fixe. Il le sera également dans ses amours. Cela semble inquiétant, me direz-vous. Mais non. Rappelez-vous simplement que la conquête pourra être longue mais une fois qu'il vous aura donné son coeur, ce sera pour longtemps. Peut-être pas pour toute la vie, mais certainement pour beaucoup plus longtemps que la plupart des autres signes.

Le Taureau est une personne d'habitudes et la vie à deux représente pour lui une facette de sa sécurité matérielle. Ainsi, quand on est ensemble, n'accumule-t-on pas de nombreux biens tels qu'une maison, des meubles ? Et n'échafaude-t-on pas de nombreux projets ? Alors, vous voyez, si vous êtes amoureux ou amoureuse d'un Taureau, préparez-vous à de nombreuses années de «bonheur» conjugal.

J'oubliais. Je vous ai dit que le Taureau savait prendre son temps. Il possède donc cette sensualité à laquelle vous pourrez difficilement résister. N'ayez crainte, il saura vous rendre heureux. Cependant, souvenez-vous qu'il ne connaît pas les demi-mesures. S'il vous en veut ou si quelque chose ne va pas dans sa vie, il se fermera comme une huître. N'essayez pas d'ouvrir la porte, elle est fermée à double tour ... tant qu'il ne se sentira pas à nouveau bien dans sa peau.

Et, je vous en prie, ne lui soyez pas infidèle. Vous vous en mordriez les doigts. La femme Taureau, plus que l'homme, fera payer cher l'infidélité. Elle ne vous quittera probablement pas. Je ne crois pas non plus qu'elle mette du poison dans votre dessert favori. Ce sera peut-être pire. En fait, elle vous coupera l'accès à ses sens et du jour au lendemain, la chaude tauréenne deviendra froide comme glace. C'est sa façon de réagir. Elle pourra alors vous dire bien simplement :

«Qu'on ne me demande pas de chanter quand je suis malheureuse. On ne demande pas à un oiseau en cage de chanter.»

Mais dans n'importe quel domaine, un Taureau qui produit sera probablement un Taureau heureux. Il ne sera pas nécessairement motivé par la création. Il préférera donner corps et substance aux idées créatrices des autres et ses services seront inestimables dans toutes les tâches requérant patience et persévérance. Il n'aime pas être bousculé ? Bien sûr que non. Il aime prendre le temps de bien faire ce qu'il a à faire. Stable, persévérant, déterminé, fiable, c'est un collaborateur précieux. Si vous employez un Taureau, sachez-bien qu'il s'impliquera d'autant plus qu'il se sentira impliqué.

Vous vous doutez bien maintenant que le Taureau n'aime pas le changement. Ainsi donc, vous le verrez exercer la même profession durant de nombreuses années même si son travail ne lui plaît plus depuis bien longtemps. Et pourquoi pas ? Après tout, son travail c'est sa sécurité financière. Il faut quand même ajouter, puisque notre Taureau est un sensuel, qu'il sera souvent un amateur d'art et qu'il ne sera pas rare de le voir exceller dans des professions où il sera en contact direct avec quelque forme d'arts que ce soit.

Une idée reste toujours une idée tant qu'elle n'a pas été réalisée et spirituellement, le Taureau possède le don de concrétiser les impulsions créatrices. Il a besoin de la matière et il aura souvent l'impression de perdre tous ses moyens s'il ne peut avoir accès à cette matière.

Ne lui reprochez pas de trop aimer l'argent. Celui-ci ne permet-il pas d'acquérir la matière ? Et je me rappelle encore cette réflexion d'un autre ami Taureau :

«J'aimerais bien développer un talent artistique. Mais pour cela, il faudrait que je puisse récupérer mon temps. Et pour récupérer mon temps, il faudrait que je change mes habitudes de travail, que je ré-évalue mes besoins. J'en viens à penser qu'on peut s'illusionner sur ses besoins et ses ressources. C'est ainsi que je réalise que je vis dans une maison trop grande, que je paye trop d'assurances, que je dépense inutilement pour ceci ou cela.

Mais tu sais, c'est un feu roulant. Tu acquiers des biens, tu continues à travailler pour en accumuler plus et finalement, c'est un cercle vicieux. Tu ne trouves plus le temps que pour travailler. Et puis, tu te demandes enfin où tout cela te conduira et si, oui ou non, tu resteras dans ce cercle vicieux. Tu te demandes si tu continueras à investir dans toutes sortes de sociétés ou si, finalement, il ne serait pas mieux que tu investisses pour toi ?

Et si c'est ainsi, il sera bientôt temps que je développe d'autres ressources qui pourront m'être profitables. Mais alors, je devrai penser aussi à ré-aménager mon temps.»

Une question de survie ? Pour un Taureau, l'argent est toujours une question de survie. Je devrais plutôt dire la sécurité matérielle que procure l'argent devient une question de survie pour le Taureau.

Mais que le Taureau n'oublie pas. Un danger le guette : il doit être capable de ne pas s'identifier biologiquement au processus de création qu'il matérialise.

TABLEAU SOMMAIRE DU TAUREAU

Mot clé	J'ai
Principe	La puissance des instincts et une riche sensualité permettent à l'impulsion créatrice du Bélier de prendre forme en s'incorporant à la matière disponible.
Polarité	Négative
Croix	Fixe
Élément	Terre
Maître	Vénus
Symbole	♉

QUALITÉS	DÉFAUTS
sensuel	rigide
doux	opiniâtre
pratique, pragmatique	entêté
constructif	buté
persévérant	obstiné
stable	dictateur
déterminé	paresseux (parfois)
persistant, résolu	lent
patient	nonchalant
tenace, ferme	
gestionnaire	

NOTE DES AUTEURS:

Une personne née sous le signe du Taureau à qui nous avons fait lire les notes manuscrites du livre, nous fit la remarque qu'elle se reconnaissait bien dans l'ensemble mais qu'elle acceptait difficilement que l'on dénie au signe la faculté de créer. Cette personne avait Mercure, la planète de la communication, du rationnel concret, en Bélier. Il était donc plus que naturel pour elle de ne pas accepter cette affirmation puisque cela allait à l'encontre de ce qu'elle ressentait intérieurement.

Nous voulons donc encore une fois vous dire que le signe correspond au seul Soleil de l'individu et que toute interprétation en profondeur devrait tenir compte des neuf autres planètes du zodiaque. Certains signes sont plus «purs» que d'autres parce que certaines planètes sont conjointes au Soleil dans un même signe.

LE GÉMEAUX

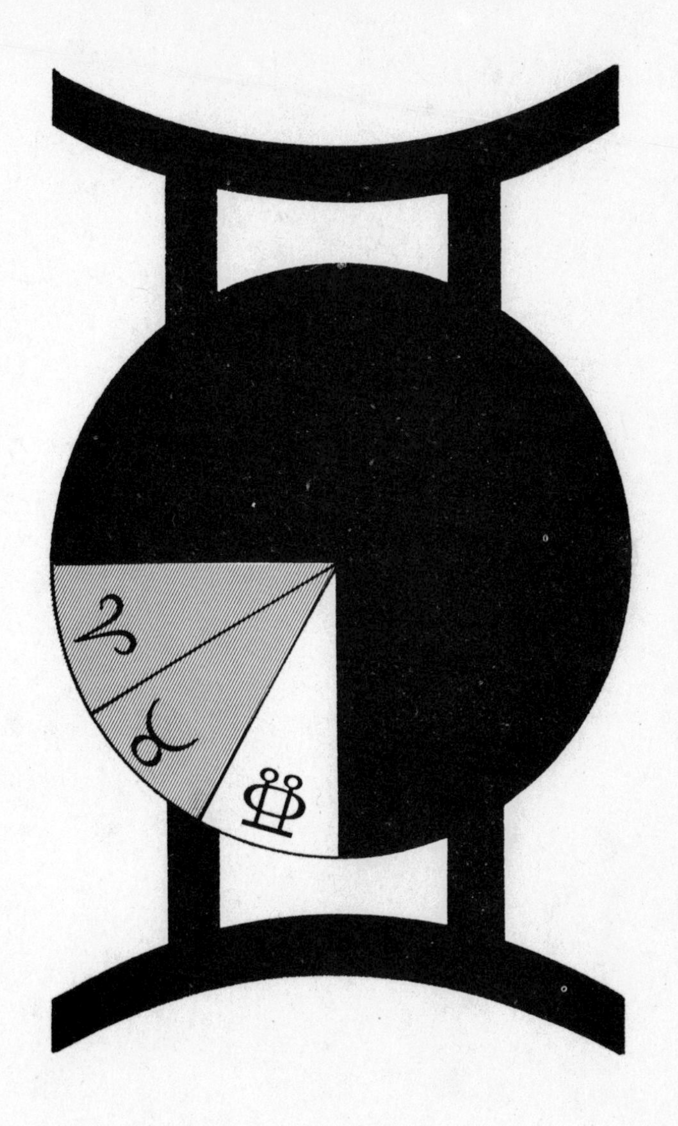

LE GÉMEAUX
21 MAI - 20 JUIN

LE GÉMEAUX

«Je restais seul ... j'allais rejoindre la vie,
la folie dans les livres.»

Jean-Paul Sartre (Gémeaux) *Les mots*

On pourrait presque dire que sa vie fut paradoxale. Au début, quand on connaissait à peine son nom, on avait plutôt tendance à la décrier. Elle posait trop de questions, elle dérangeait vraiment l'ordre des choses. Et de toute façon, ceux qui l'aimaient étaient de bien étranges personnages qui semblaient avoir la manie de fourrer leur nez partout. On en vint même à penser qu'il s'agissait purement et simplement de sorcellerie.

Mais elle posait toujours ses questions et était de plus en plus aimée et estimée. À un tel point, que bien des années après son apparition officielle, on ne jura plus que par elle, lui accordant alors crédit bien au-delà de ce qu'elle pouvait donner.

Mais, vous savez, c'était plus fort qu'elle. Elle ne pouvait s'empêcher de questionner, de chercher à savoir pourquoi, d'essayer de comprendre. Et à force de questions, on en vint finalement à la considérer comme faisant partie de nos vies, oubliant ses débuts difficiles. Et n'eut été qu'elle retournait maintenant à ses sources et questionnait même l'invisible, on s'y serait peut-être habitué.

Cependant, pas plus que ses éternelles questions, on ne comprend son éternelle jeunesse et la SCIENCE vient toujours nous rappeler que nous n'avons pas encore posé toutes les questions.

Après la lenteur paisible du Taureau, nous arrivons maintenant dans le tourbillon aérien du Gémeaux. Troisième étape du zodiaque, le Gémeaux veut modifier les conditions externes de son environnement en s'engageant dans la voie des activités intellectuelles. Partant d'une idée (Bélier) concrète (Taureau), il veut transformer ce qui est par ce qu'il sait, c'est un signe d'air. Son but l'amène sans répit vers une plus grande différenciation, vers plus d'ordre et d'organisation.

Il y parviendra en se servant de l'information sous toutes ses formes, celles-ci étant alors définies comme un pouvoir d'organisation. Mais l'information n'est pas chose statique et si vous connaissez un Gémeaux, vous aurez certainement l'impression de mouvement perpétuel. Le Gémeaux est toujours en quête d'expériences nouvelles, d'information.

Et pour aller dénicher son information, le Gémeaux se servira de la pensée qui est le processus mental le plus élevé dont l'être humain puisse se servir pour s'affranchir de la servitude de son environnement.

Le Gémeaux est un signe mutable. Il est donc très facilement adaptable et en constante interaction avec les objets et les personnes qui constituent son environnement et qu'il veut transformer. Le Bélier avait eu une idée, le Taureau l'a rendue pratique et le Gémeaux veut l'intégrer.

«Tous les Gémeaux que je connais sont superficiels et ont une double personnalité.» Mais voyons, attendez un peu. Je commence à peine à vous l'expliquer. En fait, le Gémeaux veut tout simplement découvrir comment l'environnement influence son comportement et comment il peut en retour influencer cet environnement et s'intégrer à lui. Son but est donc la recherche de l'équilibre et de l'harmonie entre les deux. Et c'est tout le secret du Gémeaux.

Superficiel, disiez-vous ? J'admets que le Gémeaux puisse être un touche-à-tout. Il a besoin d'information et quand on a besoin de cette denrée, on n'a habituellement pas le temps d'approfondir. D'ailleurs, ce n'est pas ce que recherche le Gémeaux. Il veut comprendre avant tout. Et ce qui vous paraît superficiel s'avère être pour lui recherche d'information, de données à intégrer.

Et je ne peux que sourire en pensant à Béatrice. Je dois vous avouer qu'avant de comprendre le Gémeaux, j'ai aussi fait l'erreur de le croire un tantinet trop versatile. Mais vous allez comprendre. Ainsi, cette amie Gémeaux a de multiples talents. Au cours des années, je l'ai vu s'intéresser à toutes sortes de sujets tous plus variés les uns que les autres. Ce fut la peinture, puis elle entreprit d'écrire un livre, elle eut un petit commerce, elle apprit à lire dans le thé et j'en oublie certainement. Chaque fois, je me souviens, je lui disais :

— Combien de temps, cette nouvelle marotte ?

Elle me regardait en souriant et me répondait :

— Comment veux-tu que je le sache ?

En fait, chaque nouveau centre d'intérêt la passionnait tant et aussi longtemps qu'elle jugeait ne pas l'avoir compris. Dès que cela était fait, elle pouvait s'en désintéresser complètement. Ne vous y trompez pas, elle ne l'avait pas oublié et au beau milieu d'une conversation, elle pouvait y revenir à volonté vous laissant entendre qu'elle, elle savait de quoi il s'agissait. Elle avait compris et intégré. Il lui fallait d'autres chats à fouetter.

Vous me parliez également de double personnalité. Le Gémeaux est un signe double, j'en conviens, mais cela ne veut pas dire qu'il ait deux personnalités. Je dois admettre cependant qu'il peut changer d'humeur très rapidement ce qui peut donner cette impression. Et je reviens encore à Béatrice qui ne comprenait jamais quand on lui disait que les Gémeaux avaient une double personnalité. Je dirais même qu'elle en était un peu blessée jusqu'au jour où elle comprit. C'est ainsi que je la rencontrai un jour et qu'elle me dit très fière d'elle :

«Tu sais, je n'ai jamais accepté qu'on affirme que les Gémeaux aient deux personnalités. Eh bien ! maintenant, j'ai compris. J'aime communiquer (avec un Gémeaux, le contraire aurait été surprenant) et habituellement, je le fais avec beaucoup de facilité. Mais vois-tu, quelquefois, je n'en ai pas envie. J'ai comme besoin d'être seule avec moi-même. À ces moments-là, c'est comme si je fermais ma porte. Et comme je ne parle plus, les gens pensent que j'ai une double personnalité.»

J'ai expérimenté cette attitude d'indifférence et croyez-moi, elle a de quoi dérouter. Mais mon amie a raison. Quand un Gémeaux sent qu'il a trop d'informations à digérer, c'est sa façon de se défendre, de se protéger d'un trop-plein. Il ferme sa porte, il cesse de communiquer.

Si le Taureau avait besoin de sécurité, le Gémeaux, quant à lui, a besoin d'information. C'est un signe d'air et toutes ses aptitudes lui serviront à glaner les renseignements dont il a besoin. Ainsi, il observe, identifie, met en relation, divise, subdivise, analyse, organise, catégorise, hiérarchise les objets et les personnes de son environnement immédiat. Mais cette analyse mentale est beaucoup plus rapide que la description que je viens de vous en faire. On pourrait presque dire que le Gémeaux a un esprit d'ordinateur. Donnez-lui toutes les données et quelques secondes plus tard, il aura normalement intégré, même si ce processus n'est pas toujours conscient.

Le Bélier s'adaptait difficilement, il avait besoin de liberté et d'action. Le Taureau aimait bien ses habitudes. Quant au Gémeaux, signe mutable, il accepte facilement son entourage et il peut s'adapter en conséquence puisqu'il peut intégrer à sa personne les expériences vécues. De plus, c'est un esprit alerte et rapide et sa recherche d'une parfaite compréhension du monde sera rarement assouvie.

Ce qui, encore une fois, pourrait laisser croire qu'il est superficiel. Mais mettez-vous à sa place. Le Bélier lui a donné une idée que le Taureau a matérialisée. Il doit maintenant l'ajuster le plus harmonieusement possible à l'environnement. Pour lui, tout doit s'intégrer dans un ensemble logique et rationnel, ce qui n'est pas une tâche facile.

Il fuira donc les situations qui l'obligent à aller en profondeur car elles l'empêcheraient alors de procéder à ces mises en relation. Et je reviens encore à mon amie Gémeaux. De profonds changements bouleversent actuellement son milieu de travail et ceux-ci la dérangent beaucoup. Elle n'a pas envie de s'impliquer dans ces changements puisqu'elle pense que ceux-ci lui feraient peut-être alors perdre le bénéfice d'autres expériences. Elle ne peut en effet rien codifier si elle ne possède pas les données nécessaires. En effet, comment comparer deux ou trois mille choses entre elles si en plus, il faut en faire une étude approfondie. Et ce comportement, le Gémeaux l''applique à tous les domaines de sa vie, y compris à ses amours et à sa profession.

Même inconsciemment, notre Gémeaux sait pertinemment que le développement du savoir ne peut se dissocier de l'interaction « sujet et environnement » et est toujours le résultat d'une action sur les choses. Il a besoin de comprendre, d'analyser et souvent il en souffrira émotivement. C'est pourquoi il développera rarement une compréhension émotive du monde comme le fera par exemple le Cancer.

L'intelligence du Gémeaux est vive et son expérience à fleur de pensée lui donne un sens de l'humour qui le rend populaire et intéressant dans toute forme de relation qu'elle soit amoureuse ou platonique. Mais être amoureux, c'est s'impliquer d'une certaine façon et notre Gémeaux préférera d'abord être un ami. Malheureusement pour lui, je dirais presque que notre Gémeaux a un peu peur de l'amour qu'il aurait tendance à considérer comme un désordre. Et comme il est toujours à la recherche d'expériences et d'informations, il aimera toujours plus la quête amoureuse que l'amour. Je ne peux alors m'empêcher de penser à Marilyn Monroe adulée par des milliers d'hommes mais qui ne trouva jamais de partenaire. Elle aimait mieux, comme tout vrai Gémeaux, chercher que trouver.

Le Gémeaux peut être un ami, mais non un amoureux. Ainsi, on peut rapidement devenir son ami, il en a besoin pour son développement. N'allez pas penser que ce sera une relation en profondeur. Le Gémeaux n'a que faire des relations en profondeur, il ne veut pas d'engagements. Souvenez-vous, il veut avant tout analyser, comparer. Ainsi, il préférera de nombreuses petites «liaisons» à une relation de longue durée qui l'empêcherait de connaître autre chose.

Oui, Don Juan. Il aimait conquérir parce qu'il pouvait alors expérimenter, comparer, comprendre et qu'il avait plus de plaisir avant la victoire. Lorsqu'il avait toutes les données en main, il ne pouvait faire autrement que d'abandonner ses victimes à leur chagrin. Une relation suivie lui aurait semblé ennuyeuse contrairement au Taureau qui aimait bien, lui, cette stabilité qui le sécurisait. Mais la sécurité du Gémeaux se trouve dans sa facilité de pouvoir amasser de l'information, de la digérer et ensuite de l'intégrer. Ce sera un compagnon amusant, agréable et plein d'humour mais évitez de trop l'aimer.

Il aura d'ailleurs la même attitude à son travail, et il aura beaucoup de difficulté à supporter la routine qui l'ennuie à mourir. Il a besoin comme d'une drogue d'une certaine dose de nouveauté dans sa vie. J'ai d'ailleurs une amie Gémeaux, Caroline, qui présente un spectacle inoubliable quand elle travaille. Ainsi, je l'ai souvent vue bien attentive à son travail quand, tout à coup, sans raison apparente, elle se lèvera et ira faire tout autre chose. Ne vous demandez pas pourquoi. Un détail aura soudainement frappé son attention, détail qu'elle aura décidé de régler à l'instant.

Mais voyez la suite. Je la surpris un jour alors qu'écrivant à son bureau elle semblait profondément concentrée. Je notai bien cependant que de temps à autre, elle jetait un regard à l'horloge qui, normalement, sonnait les heures. Elle continuait toujours à écrire quand soudain, quelques minutes après l'heure, elle se leva, alla dans sa chambre et revint avec un petit livret d'instructions. Je n'osai la déranger tant elle semblait absorbée par ce qu'elle faisait. Mais je réalisai ensuite que pendant qu'elle était tellement concentrée à écrire, son esprit avait en même temps enregistré le fait que son horloge ne sonnait plus les heures et elle avait simplement décidé d'y remédier. Ceci fait, elle se remit bien tranquillement à écrire. Je puis vous assurer d'une chose : si le travail devient trop long, elle pourra se laisser divertir par mille et une choses quitte ensuite à revenir à son occupation première. C'est que le goût du changement est tel chez un Gémeaux qu'il ne sera pas rare de le voir commencer une autre activité pour se reposer de la première ou pour éviter de ne rien faire.

Notre Gémeaux aura ainsi tendance à commencer en même temps deux ou trois choses, qui toutes l'intéressent, et, dans sa soif de changement, il risquera de n'en terminer aucune. D'autre part, s'il entreprend un projet, il sera préférable que ce soit à court terme sinon il risque de ne pas avoir la patience de mener à bien les objectifs qu'il s'est fixés. Comme je vous le disais plus haut, la routine le tue. Mais s'il se trouve une occupation qui lui apporte de constants changements, il y sera heureux. Sinon, il inventera toutes sortes de prétextes pour faire tout autre chose que ce qu'il doit faire.

Par contre, dans les moments d'urgence, on peut compter sur la rapidité de son intelligence. À cause de toutes les informations qu'il ne cesse de recueillir ici et là, il vous donnera toujours une réponse adéquate. Et c'est pourquoi, j'aurais tendance à penser qu'il s'agit là d'un excellent signe pour toute personne qui désire se lancer dans la vente. Il est alors en interaction constante avec l'environnement et il a en même temps la possibilité d'utiliser toute son habileté intellectuelle. En plus, notre Gémeaux excellera dans toutes les occupations impliquant la transmission d'idées par l'écriture, la parole, les voyages, les conférences ... du moment qu'il s'agit d'occupations variées et desquelles la routine sera absente. Sinon, vous verrez votre Gémeaux recommencer à tourner en rond. Et il n'aime pas cela.

Que l'on se rappelle le Taureau, il avait besoin de produire et il utilisait les matériaux qui lui étaient immédiatement accessibles pour permettre à l'énergie du Bélier de prendre forme. Pour un Gémeaux, la production seule n'est pas suffisante. Il veut d'abord accumuler les expériences, les informations pour ensuite comprendre afin que les productions du Taureau sortent de cet univers qu'il trouve restreint.

Le rôle du Gémeaux sera donc de permettre aux formes tauréennes de croître et de se développer dans un champ d'activité plus vaste qui est l'environnement.

Le Gémeaux n'approfondit pas. Il n'en a pas le temps. Il veut apprendre et quand il a compris, il codifie pour que tout s'harmonise. Il explique alors comment ces formes nouvelles peuvent s'intégrer harmonieusement à l'environnement. Sa mission spirituelle se situe à ce niveau. Encore une fois, il ne s'agit pas de superficialité. Il a besoin de toutes les données possibles pour les intégrer et son besoin profond d'informations l'empêche, à juste titre, et peut-être avec un peu de regret, d'aller chercher les choses à leur racine. Il ne peut que se servir des racines du Taureau.

En fait, le Gémeaux codifie et comme tel, il démontre que, dans notre univers, chaque chose a sa place et sa raison d'être. Et pour cela, il doit utiliser ses facultés rationnelles. Il reste, d'une certaine façon, l'éducateur du zodiaque.

TABLEAU SOMMAIRE DU GÉMEAUX

Mot clé	Je m'informe
Principe	Par ses diverses fonctions, l'intellect concret permet aux formes développées en Taureau de s'ajuster afin de s'intégrer harmonieusement à l'environnement.
Polarité	Positive
Croix	Mutable
Élément	Air
Maître	Mercure
Symbole	♊

QUALITÉS	DÉFAUTS
analytique	changeant
raisonnement juste	volage, flirt
intelligence vive	commère
répartie rapide	inconstant, instable
loquace	nerveux, agité
orateur éloquent	soupçonneux
adaptabilité	superficiel
curiosité mentale	peu de sentiment
alerte	rusé
vif	manque d'ordre
	moqueur

LE CANCER

LE CANCER
21 JUIN - 20 JUILLET

LE CANCER

LE LABOUREUR ET SES ENFANTS

Travaillez, prenez de la peine :
C'est le fonds qui manque le moins.
Un riche laboureur, sentant sa mort prochaine,
Fit venir ses enfants, leur parla sans témoins.
Gardez-vous, leur dit-il, de vendre l'héritage
Que nous ont laissé nos parents.
Un trésor est caché dedans.
Je ne sais pas l'endroit ; mais un peu de courage
Vous le fera trouver, vous en viendrez à bout.
Remuez votre champ dès qu'on aura fait l'Oût.
Creusez, fouillez, bêchez ; ne laissez nulle place
Où la main ne passe et repasse.
Le père mort, les fils vous retournent le champ
Deçà, delà, partout ; si bien qu'au bout de l'an
il en rapporta davantage.
D'argent, point de caché. Mais le père fut sage
De leur montrer avant sa mort
Que le travail est un trésor.

(Jean de La Fontaine — Fable IX, Livre V)

«... je ne vois bien que ce que je me rappelle et je n'ai d'esprit que dans mes souvenirs.»

Jean-Jacques Rousseau (Cancer)
Les confessions

Et nous voici déjà à la fin d'une première saison zodiacale. Le Cancer, premier signe d'eau, vient résumer les trois premiers signes et marquer aussi leur progrès. Il les condense et les reçoit puisque c'est un signe d'accueil qui emmagasine les impressions.

Le Gémeaux cherchait à intégrer et il recueillait l'information pour en arriver à ce que les différentes parties du «TOUT» s'imbriquent harmonieusement dans une structure logique. Le Cancer, lui, reçoit donc cette structure et il ressentira fortement, alors, qu'il fait partie du «TOUT». Et comme, encore une fois, il vient à la fin d'une saison zodiacale, il possède les éléments de toute la saison précédente.

C'est une prise de conscience qui inquiète le Cancer puisqu'elle implique l'obligation (ou du moins devrait l'impliquer) de se situer à l'intérieur de ce «TOUT». Notre Cancer se questionne donc sur ses valeurs et ses croyances, il essaie de définir ses responsabilités face aux individus qui peuplent son monde. Inutile de vous demander pourquoi il revient sans cesse au passé. Pour lui, le passé est toujours une histoire à finir.

Et ainsi, et là vous retrouverez votre Cancer, il représente très bien l'image de la mère qui enveloppe, abrite, conserve, nourrit, protège et réchauffe. Et, chaque fois que je pense à un Cancer, cela me rappelle la cigogne nourrissant ses petits et qui souvent, y laissera la vie. C'est la Mère. Je voudrais aussi ajouter que ces tendances se retrouvent aussi bien chez les hommes que chez les femmes même si ceux-ci l'ignorent. Quelquefois, le Cancer se refusera à l'admettre mais regardez-le bien agir. Il pourrait vous surprendre.

Vous penserez peut-être que le Cancer est amorphe. Ne vous y trompez pas. C'est un signe d'action et il sera actif dans la recherche de son rôle à l'intérieur de ce «TOUT». Cependant, puisque c'est un signe de polarité négative, sa recherche sera avant tout intériorisée. En le regardant agir, vous pourrez facilement penser qu'il ne poursuit pas de but précis ainsi que le crabe qui le symbolise, mais il atteint son but aussi sûrement que les autres signes d'action.

J'admettrai avec vous que notre Cancer peut sembler parfois prendre un chemin diamétralement opposé au but poursuivi. Il semble perdu, ne sachant trop que faire. Mais voilà. Louise, qui est Cancer, me répétait depuis déjà quelques années qu'elle voulait son appartement, ou plutôt un logement bien à elle. À mes yeux, elle ne semblait faire aucun effort pour y arriver me paraissant préoccupée par tout autre chose que ce logement dont elle ne cessait pourtant de me parler.

Un jour elle me dit :

— Tu sais, la maison de mes parents. Eh bien, j'ai acheté un étage en co-propriété avec eux.

— Tu dois avoir hâte de déménager, lui demandai-je.

— Je ne déménage pas maintenant, me répondit-elle.

Le déménagement se fit finalement mais bien des années plus tard. Pour elle, cet achat n'avait été que le premier pas vers ce qu'elle voulait. Elle ne voulait pas qu'un logement, elle le voulait à son goût. Et malgré tous les détours qu'elle semblait prendre, elle obtint enfin ce qu'elle voulait : *son* logement, à *son* goût.

Les Cancer que je connais me font souvent penser à une boîte à surprises. Leur recherche est intériorisée mais ils ont besoin du monde qui les entoure pour se réaliser. Ce seront donc des êtres très sociables qui seront très attirés par le monde extérieur. Mais notre Cancer est tellement vulnérable. C'est un sensitif et sa réceptivité aux influences et aux humeurs extérieures est telle qu'il peut s'épuiser rapidement dans ce monde surtout si celui-ci devient trop menaçant. Il éprouvera alors le besoin viscéral d'être par lui-même pour échapper à ce qu'il croit être un danger.

Pas à ce point, penserez-vous. Essayez plutôt. Allez faire une promenade avec un Cancer sans but précis. Il pourra arriver qu'il vous dise tout à coup, sans que rien ne l'ait laissé prévoir :

«Viens, on rentre.»

Si vous lui demandiez pourquoi, il pourrait tout simplement vous répondre qu'il ne le sait pas mais qu'il se sent «mal». Ainsi, un détail peut avoir frappé ses sens et tout à coup, il n'aimera plus l'endroit où il se trouve.

Quoiqu'il lui arrive cependant, le Cancer retournera toujours à la sécurité de son foyer pour y refaire le plein. Comme tout signe d'eau, il a la capacité de se régénérer à une vitesse à peine croyable. Il faut, bien entendu, qu'il se sente en sécurité à son foyer et qu'il puisse y trouver un certain isolement. Sinon, il lui faudra du temps pour se retrouver et, croyez-moi, il pourra alors être d'une humeur massacrante. D'ailleurs, en tout temps, quand un Cancer décide de s'isoler, il est préférable de ne pas le déranger.

J'ai deux amis Cancer et tous deux sont ainsi. Dernièrement, je téléphone à l'un d'eux. J'avais besoin d'un renseignement assez rapidement et ne voyais personne d'autre pour me le fournir. J'obtins sa femme au téléphone qui ne put s'empêcher de me dire :

— Vas-y avec précaution, il n'a pas envie d'être dérangé.

Je ne pus m'empêcher de sourire.

— Voilà bien un Cancer, me dis-je. On osait s'immiscer dans son isolement.

Notre Cancer donc, vit par l'intérieur, très activement. Mais il a surtout besoin de beaucoup d'affection, c'est sa sécurité. Vous vous rappellerez que le Gémeaux utilisait toutes ses ressources pour des mises en relation. Le Cancer sait qu'il ne peut fonctionner qu'avec l'intelligence. Il lui faut plus, il lui faut de l'amour quitte à s'en inventer. Ses émotions seront très fortes et quelquefois il les craindra parce qu'il les vit profondément. Bernard, lui, était tout simplement réticent. Nous avions une amie commune qui accueillait toujours à bras ouverts les gens qu'elle aimait bien. C'est ainsi que chaque fois qu'elle voyait mon ami Cancer qu'elle n'avait pas encore apprivoisé, elle le prenait dans ses bras et lui appliquait d'autorité deux baisers bien retentissants sur les joues. Alors là, je vous laisse imaginer la tête de mon Cancer. Il aurait voulu se trouver à des kilomètres de là et ne savait alors pas trop comment réagir. Il s'est habitué bien sûr et même s'il est maintenant content de cette marque d'affection elle le prend toujours un peu au dépourvu.

En fait, le Cancer se sent plus à l'aise quand il dispense lui-même affection et « maternage ». Car ne vous y trompez pas. Quoi qu'il dise ou fasse, il en a un besoin intense. C'est sa sécurité à lui.

Je dirais même que le Cancer vit de tendresse, et que ce besoin doit être satisfait surtout dans les premières années de sa vie, parce que c'est alors que l'on apprend à aimer. S'il a reçu ce qu'il considère comme sa part d'amour, le Cancer sera généreux de sa personne et de ses sentiments. Sinon, il deviendra comme la fourmi de la fable et emmagasinera bien précieusement toutes les miettes d'amour qu'il pourra trouver tout au long de sa vie.

Vous serez alors en face d'un Cancer au comportement enfantin qui sera émotivement très possessif. Il amassera la tendresse et l'amour comme un trésor s'imaginant ainsi que, finalement, il recevra la part qui lui est due. Dans toute forme de relations, d'ailleurs, si le Cancer n'est pas aimé il aura tendance à compenser. Il a besoin de sécurité amoureuse.

— J'ai tellement hâte de trouver enfin quelqu'un, un vrai compagnon, me disait récemment une amie Cancer.

En attendant, elle achète, surtout des vêtements. Quoique de toute façon, un Cancer a toujours besoin d'entasser des possessions matérielles. Il sait qu'il fait partie d'un «TOUT» et a donc le sentiment profondément enraciné que l'environnement subviendra à ses besoins de maternage, d'amour, de nourriture, de famille, de gîte. Conséquemment, il veut s'assurer que c'est vrai et il s'organise pour ne manquer de rien qui puisse lui servir dans ce sens.

Il économisera pour s'acheter une maison et des vêtements ; pour toujours avoir un garde-manger bien garni et pour offrir des gâteries à ceux qu'il aime, sa famille surtout. Pour un Cancer, charité bien ordonnée commence toujours par lui-même.

Il aimera également acheter des choses qui lui rappellent son passé et ses origines. Notre Cancer vit souvent dans le passé et pour lui, il y a très peu de différence entre l'objet et le souvenir de l'objet. Il pourra même, par exemple, s'acheter un disque en souvenir d'un grand amour. Tous mes amis Cancer se rappellent chaque personne qu'ils ont aimée. Et même si les relations sont maintenant terminées, ils sentent le besoin de retourner en arrière ne serait-ce que pour se rassurer.

Et quand mes amis Cancer s'ennuient ou se sentent tristes, ils feront jouer ce disque ou liront ce livre tout simplement pour entretenir leur vague à l'âme et se sentir encore plus tristes. Et pourquoi pas après tout? Le Cancer se sent tellement à l'aise dans la sécurité de ses souvenirs. C'est à « l'eau de rose », me direz-vous. Peut-être bien. Mais un Cancer est ainsi.

Même en amour ? Je vous dirai oui et non. Signe éminemment maternel, le Cancer aura toujours cette idée derrière la tête dans toute relation. C'est ainsi qu'Antoine me parlait de sa femme :

— Vois-tu, elle a une décision importante à prendre et il ne faut pas la brusquer. Il faut que je lui fasse comprendre doucement ce qui est important pour elle.

Il l'aime beaucoup mais, c'est plus fort que lui : il se sent protecteur, maternel. Il faut qu'il l'entoure, comme une mère entoure son enfant. Mais il a lui aussi besoin qu'on l'entoure et le protège. Et si le Cancer rencontre ces caractéristiques, son engagement sera total. Bien sûr, il rêvera, mais il reviendra toujours à la maison. Alors, penserez-vous, il sera un peu toujours comme un enfant ? Bien sûr, mais un enfant n'est-il pas éternellement charmant et enjôleur ? Essayez, vous verrez, il est tellement tendre.

Quant à mon amie Cancer, je l'entends déjà me parler de son ami.

— Tu sais, la première fois que nous nous sommes rencontrés, c'était tellement romantique. Il était attentionné et délicat et je me suis tout de suite sentie en confiance.

Vous voyez ? Oui, il aimera vous bercer et vous raconter mille choses. Mais vous vous sentirez tellement bien dans ses bras, protégée en fait. Rendez-lui la pareille et il vous donnera ... la Lune.

Cependant, n'importe qui n'entre pas de plein pied dans l'intimité d'un Cancer. Il y a des pré-requis. Il devra se sentir en sécurité avec vous et pour cela, il faudra que vous ayez d'abord gagné sa confiance et c'est difficile. N'oubliez pas, c'est un sensitif et comme il vit ses émotions de façon très intense, il craint toujours d'être trompé. C'est normal, il sera plus facilement blessé qu'un autre.

Et si vous le trahissez, il vous pardonnera mais il n'oubliera jamais et au moment où vous vous y attendrez le moins, il saura bien vous le rappeler. Il vit dans ses souvenirs et se souvient de tout événement qui l'a marqué émotivement avec une extrême précision. Un seul danger le guette : il aura tendance à trop vouloir vous protéger, vous materner. Faites-le lui comprendre gentiment.

Quant à son travail, le Cancer aura tendance à choisir un métier ou une profession qui l'engagera dans des activités répondant aux besoins de l'environnement. Ainsi donc, on le verra souvent dans des occupations où il y a contact avec la foule, les enfants. Il aura aussi un intérêt marqué pour l'hôtellerie et la restauration (comme tous les signes d'eau d'ailleurs), le travail social, l'enseignement.

Comment se comportera notre Cancer dans sa sphère d'activités ? Pour bien travailler, un Cancer a besoin de se sentir aimé et a besoin de sentir qu'il participe à ce tout qu'est son milieu de travail. Vous vous en seriez d'ailleurs douté. De plus, il faut savoir qu'un Cancer devient très susceptible, dans n'importe quel domaine de sa vie, dès qu'on lui fait sentir par la moindre allusion qu'il est de trop ou qu'il ne fait pas partie de cet environnement auquel il croit, lui, appartenir. Il deviendra alors rapidement bourru, grognon, en un mot, impossible à vivre parce qu'un Cancer malheureux est vraiment comme une âme en peine et il peut alors prendre des décisions trop hâtives.

Ainsi, Paulette travaillait pour cette compagnie depuis déjà quelque temps mais je sentais bien qu'elle était malheureuse, plus renfermée sur elle-même qu'à son habitude. J'essayai donc doucement d'en connaître la cause.

— Ça va mal, me dit-elle, et je pense bien que je devrai quitter mon emploi.

Elle me laissa finalement entendre qu'elle se sentait continuellement bousculée et observée et qu'elle ne pouvait plus supporter cette situation. C'en était trop.

Comme dans tous les domaines de sa vie, le Cancer a besoin, pour bien fonctionner, de sécurité émotive et affective. De plus, si vous travaillez avec un Cancer, n'oubliez pas qu'il aimera vous enseigner des choses. Ne l'en privez pas, cela lui fait tellement plaisir. Son travail, c'est comme sa maison et il aime bien que tout son monde soit heureux et content.

Il ne manque pas non plus d'imagination et il sera souvent attiré par la poésie et l'écriture. Il a le don de retourner au passé et il saura le faire revivre devant vous avec beaucoup de talent.

Mais avec le Cancer, il nous faut maintenant commencer à parler de la société en général. Fortement attaché au passé, le Cancer sera donc souvent attaché aux traditions. Le Cancer prend conscience qu'il appartient au reste de l'humanité, qu'il fait partie de la tribu, du clan. Ce sont ses racines. Et si vous écoutez parler un Cancer, ne soyez pas surpris s'il mentionne d'abord sa famille. C'est son monde. Au-delà de cet univers restreint, cependant, il est capable, en partant de ce centre, sa famille ou sa patrie, d'en faire l'unité avec le reste de l'univers. Il a la faculté d'aller de la partie vers le «TOUT».

Il ressent fortement et c'est pourquoi le don de clairvoyance qu'on lui attribue est réel. C'est ainsi qu'un jour j'appelai une amie Cancer. Je cherchais la réponse à un problème épineux pour moi et je commençai à lui en parler. Sa réponse ne se fit pas attendre et elle me décrivit d'emblée l'ensemble de la situation me donnant du même coup la solution. Elle s'était servi d'un élément et, sans hésiter, en était arrivée au tout. Un Cancer donc, s'il voit un enfant, voit la famille, une femme le couple, etc.

Il a la faculté de faire «l'unité à la racine de tout genre d'expérience». Cependant, s'il refuse ce don ou s'il n'a pas réussi à le canaliser, il sera facilement la proie de craintes et de peurs injustifiées. Parce qu'alors il inclura dans son TOUT des images qui n'en font pas nécessairement partie. Un exemple ? C'est bien simple. Un enfant qui désire se baigner ne se noiera pas nécessairement.

C'est donc dire que spirituellement, le Cancer doit prendre conscience qu'il fait partie d'un TOUT car, comme je vous le disais au début, il contient les trois autres signes. En effet, il est l'énergie créatrice du Bélier qui a pris forme en Taureau et s'est harmonisé à l'environnement en Gémeaux. À la limite, on pourrait dire que cet environnement, c'est l'Humanité toute entière qu'on retrouve symboliquement en Cancer.

Et parce que la forme est totalement incorporée, stabilisée et intégrée au Cancer, les Anciens disaient qu'il correspondait analogiquement au seuil des réincarnations, à la porte des Hommes. Le Cancer vit de l'intérieur et Rudhyar mentionne que l'individu de cette phase doit être capable de ressentir de façon certaine ce qu'il est et ce qu'il représente en tant que personne. S'il l'a compris, le Cancer sera alors capable de réaliser son pouvoir occulte : favoriser chez les autres l'atteinte de leur centre, de leur essence et par voie de conséquence, de leur renaissance.

TABLEAU SOMMAIRE DU CANCER

Mot clé	Je maintiens
Principe	L'apparition des sentiments permet l'intégration et la stabilisation de la forme au TOUT.
Polarité	Négative
Croix	Action
Élément	Eau
Maître	Lune
Symbole	♋

QUALITÉS	DÉFAUTS
réceptif, sensible	impressionnable
songeur, rêveur	craintif
bonne mémoire	halluciné
prudent, réservé	susceptible
affectueux	irritable
imaginatif	boudeur, maussade
dons psychiques	soif d'approbation
médium	versatile, changeant

LE LION

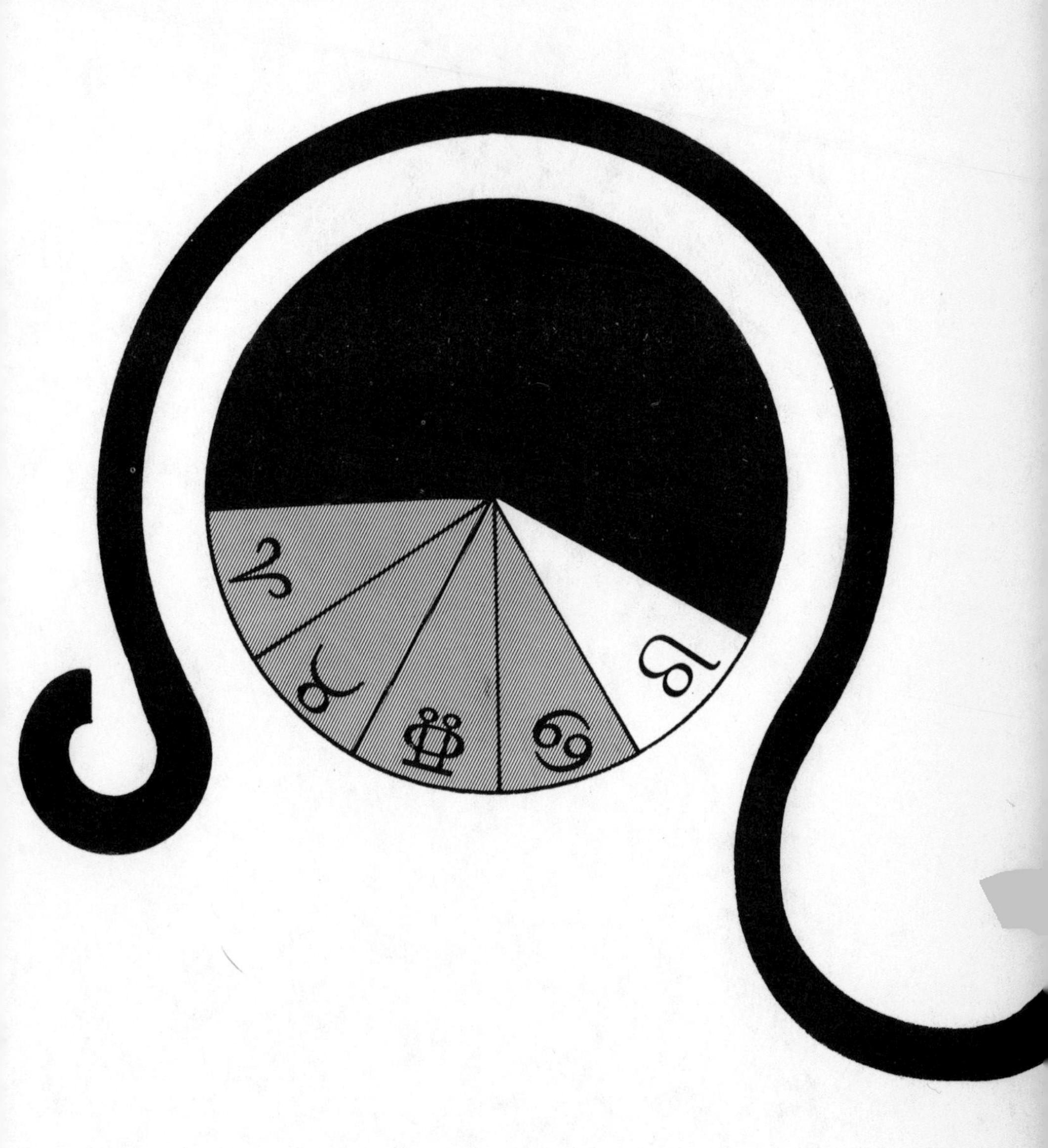

LE LION
21 JUILLET - 21 AOÛT

LE LION

«L'ÉTAT, C'EST MOI !»

(Louis XIV)

« Il avait fait de son palais de Versailles le centre politique et mondain de la France. Tout y avait son aboutissant et son déterminant. Chacun savait qu'on ne pouvait prétendre à rien si on n'y fréquentait pas. «C'est un homme que je ne connais pas», disait Louis XIV de ceux qui ne hantaient pas les cours et les salons du Palais. De son côté, le Grand Roi se pliait de la meilleure grâce du monde à cette vie d'apparat. S'il exigeait que les autres fussent à son entière disposition, il se mettait de son côté tout à la leur, toujours en représentation solennelle, toujours poli, courtois, attentif aux honneurs et aux convenances, rendant à chacun ce qui lui était dû, empressé auprès des dames, sensible aux attitudes respectueuses ou affectueuses, observant tout et retenant tout, soit pour marquer sa hautaine gratitude, soit pour prouver son implacable mécontentement. »

(St-Simon, *Mémoire*
Collection des Grands Classiques Quillet
Publiée sous la direction de Paul Penciolelli)

Holà, je vous entends déjà me dire que le Lion est orgueilleux comme un paon. Allons donc, oubliez-vous que vous parlez du roi des animaux ? Et puis, sous ses rugissements sonores, notre Lion, finalement, est doux comme un petit chat. Voyons plutôt.

Vous avez pu constater jusqu'à maintenant que chaque signe correspondait à une phase évolutive de l'Homme. Un pas, plus un pas, plus un pas ... Évolution uniquement personnelle au début, elle se socialise peu à peu. Ainsi, le Bélier avait besoin de se prouver qu'il ÉTAIT par l'action, en créant de l'énergie pure, fulgurante et indomptable. Il s'agissait donc du premier pas de la conscience individuelle hors de l'inconscient collectif.

Le Taureau qui le suivait désirait avant tout conserver cette énergie du Bélier pour l'unir à la matière première. Pour ce faire, il faisait appel à ses sens. Quant au Gémeaux, la puissance des instincts des deux premiers signes ne lui suffit plus. Il intellectualise donc afin de maîtriser et harmoniser l'environnement immédiat.

Ce qui nous amène au Cancer dont la vie sensitive prend toute la place pour que l'individu réalise qu'il peut être stable et durable. À la fin de la phase Cancer, la structure élémentaire de l'individu est en place.

Les rôles ont été distribués, notre Lion peut maintenant faire son entrée. En effet, les quatre fonctions d'orientation définies par C.G. Jung et dont nous vous avions parlé en Bélier sont maintenant présentes :

— L'instinct du Bélier lui permet de pressentir le devenir d'une chose ;
— Les sens du Taureau lui permettent de déterminer la présence d'objets dans un espace donné ;
— La pensée du Gémeaux lui permet de préciser ce qu'est cet objet ;
— Et finalement, les sentiments du Cancer l'informent sur la valeur de cet objet pour un individu.

La conscience est maintenant en possession de ses fonctions d'orientation et elle peut et doit s'orienter dans l'espace extérieur et intérieur. C'est le rôle du Lion. Il devra, au préalable, se voir et se reconnaître dans ses relations avec ce monde extérieur et par conséquent, il devra donc développer son MOI. Celui-ci est alors le centre de la conscience.

Le Lion prend de la place ? Mais comment pourrait-il faire autrement ? Il est à la recherche de son MOI. S'il ne le trouvait pas d'ailleurs, il ferait partie du TOUT qui a été décrit en Cancer mais il s'y fondrait, s'y diluerait et pourrait même s'y noyer. Et cela ne ressemble pas du tout à ce cher Lion.

Si vous connaissez des Lion, essayez de les imaginer parmi les autres, sans personnalité, sans EGO. C'est à peu près impossible. Et d'ailleurs, l'Homme n'accepterait pas cette situation. Il désire, même inconsciemment, apporter sa contribution à l'Humanité.

Et l'étape que l'Homme doit maintenant vivre, c'est celle du Lion qui se distingue, se singularise, brille de tous ses feux, de tous ses talents. Ah ! vous commencez à reconnaître votre Lion, qui doit être égocentrique et même égoïste par pure nécessité. Voyez-vous, en agissant ainsi, le Lion apprend à identifier son potentiel unique qu'il mettra un jour au service de la société.

Quand j'avais parlé de cela pour la première fois à Jean-Louis, il avait d'abord sursauté trouvant que j'y allais un peu fort. Mais après quelque temps, il m'avait fait cette réflexion savoureuse, bien typique du Lion :

«Je suis finalement bien conscient de cela. Et je réalise que je cultive l'orgueil depuis deux ou trois ans.

Vois-tu pour moi, c'est très important et je prendrai même le risque d'être orgueilleux. Je n'aimerais pas réaliser cependant que je suis devenu imbu de moi-même. Cela n'est pas du tout la même chose. Par contre, j'ai enfin découvert que la modestie avait d'énormes inconvénients quoi qu'en disent les personnes qui auraient voulu que je le devienne.»

Le Lion a besoin de se retrouver, lui, et il y arrivera avec le soutien de sa volonté qui mobilisera les énergies physiques et sociales nécessaires.

Mais le Lion est un signe positif et il n'attendra pas que les circonstances lui soient favorables pour agir. Il désire être une source d'énergie, il veut contrôler sa destinée. Tout à fait comme une autre amie Lion, d'ailleurs, qui s'arrangeait pour ne rater aucune occasion. Ainsi, un jour, Francine décide qu'elle veut changer d'emploi, non que celui qu'elle occupait ne la satisfasse pas mais elle en voulait un autre qui la mettrait plus en valeur. Combien mit-elle de temps croyez-vous pour se trouver ce nouvel emploi ? À peine quelques jours et elle ne se priva pas de nous raconter comme les démarches avaient alors été faciles. C'est bien plus tard que j'appris qu'elle avait cet emploi en tête depuis déjà un certain temps. Elle n'allait quand même pas me mettre au courant de projets dont elle ignorait le succès !

Certainement pas ! Cinquième signe du zodiaque, le Lion donc a conscience de son moi tout en étant fier de son passé. Il se sent également suffisamment en sécurité pour faire valoir ce qu'il est. Et cette assurance est à la source de la confiance que les gens lui portent. Ils le sentent sûr de lui. Cette grande assurance, cependant, peut être sa perte s'il lui arrive de ne plus livrer ce qu'il a annoncé, ce qui est rare.

Il s'en serait mordu les doigts, mon ami Lion. Un membre de sa cour lui demande un jour un service qu'il s'empresse de lui garantir sur l'heure. Malheureusement, à cause de circonstances contraires, il fut incapable de rendre le service demandé. Qu'à cela ne tienne, ce sujet fut ignoré durant quelque temps, jusqu'au jour où, fier de lui, il lui annonça la réalisation de ce qu'il espérait. Notre Lion avait sauvé la face, tout était bien qui finissait bien.

Ainsi, le Lion perdra rarement sa crédibilité parce que c'est un signe fixe et qu'il en a donc toutes les caractéristiques. Il est en mesure de terminer ce qu'il commence. Ou plutôt, je devrais dire qu'il s'arrange pour être en mesure de terminer ce qu'il commence. D'ailleurs, sa fierté proverbiale l'empêcherait d'entreprendre quoi que ce soit qui ne se terminerait pas brillamment.

C'est pourquoi avant de commencer un projet, il fera toujours l'inventaire de projets similaires qui ont pu réussir ou échouer. Voyez-vous, on ne parle pas ici du «Bélier hésitant, du Taureau évasif, du nerveux Gémeaux ni du Cancer apeuré. Il est Seigneur Lion, le Fier (à moins qu'il ne soit, ce qui peut aussi se produire, Lion Fainéant, le Poltron).»

Mais allons voir comment se comporterait notre Lion avant d'entreprendre la pratique d'un sport. Il tiendra compte de son potentiel physique d'abord et ensuite, il s'assurera de ses possibilités de sortir vainqueur. C'est ainsi qu'un jour, au bureau, nous apprenons qu'un camarade de travail, Lion bien sûr, pratique assidûment le tennis. La chose en resta là un certain temps jusqu'au moment où il décida de demander à l'un ou à l'autre d'entre nous de se mesurer à lui à ce sport. Nous aurions dû nous rappeler que notre camarade était Lion. Parce que, bien entendu, avant de lancer un tel défi il s'était, au préalable, assuré qu'il avait toutes les chances de gagner. Il avait pris le pouls de sa victoire.

Malgré tout, si jamais vous gagnez une partie contre un Lion, soyez fier de vous, vous ne l'aurez pas volé. Notre Lion ne fait pas de cadeaux, pas de quartiers. Ne soyez cependant pas un partenaire médiocre, il ne vous le pardonnerait pas non plus. Il aime briller dans tous les domaines et il vous acceptera comme partenaire tant et aussi longtemps que vous ne le diminuerez pas aux yeux des autres. Il appréciera même que vous lui permettiez de rayonner davantage.

Il exigera d'ailleurs la même chose de son partenaire amoureux. Homme ou femme, il aime que les autres admirent et même lui envient ses partenaires que ce soit pour leur beauté physique ou leur accomplissement intellectuel. Cela ajoute à sa gloire.

Et si vous vivez avec un Lion, essayez de ne pas lui être indifférent. Il peut être facilement blessé si on le néglige ou le prive d'amour. Il ne comprend pas, voyez-vous, que cela puisse lui arriver à lui, le Lion. Il a besoin d'être rassuré. D'un autre côté, il est très sensible à la flatterie et s'en lasse rarement. Mais attention, flattez-le dans le sens du poil. Il ronronnera alors comme un chaton.

Il ne faudrait surtout pas l'empêcher de vibrer. Ce serait alors aller contre sa nature profonde et il pourrait décider d'aller briller sous d'autres cieux. C'est ce qui arriva à un couple d'amis.

— Vois-tu, elle semblait prendre ombrage de ce que j'étais ou de ce que je faisais. J'avais l'impression qu'elle se sentait diminuée par mes réussites.

On ne demande pas à un Lion de ne pas être fier pas plus qu'on ne demande au soleil de ne pas briller. C'est presque contre nature.

Signe de feu, le Lion en a la volonté et le leadership. Ce n'est pas le feu de brindilles du Bélier qui flambe rapidement puis s'éteint. Ce sera plutôt la flamme d'un feu de cheminée, maîtrisée et pleine de chaleur. Et cette flamme obéissante, le Lion la met au service de la reconnaissance du MOI.

Socialement cependant, le Lion ne sera pas aussi sûr de lui qu'il veut bien le laisser paraître. Nous n'en sommes qu'à la cinquième étape du zodiaque et l'individu n'a pas encore joué de rôle social comme tel. Son expérience demeure donc toute subjective. C'est le MOI qui veut s'affirmer, il lui est donc difficile de se situer comme «être social». Ainsi donc, pour identifier son potentiel unique, il aura besoin de miroirs qui réfléchiront alors ce qu'il est, lui révéleront si ce qu'il fait est valable ou non et, par conséquent, si lui est «valable» ou non. Et ces miroirs, ce seront ses créations : enfants, projets, maison, etc.

J'avais toujours admiré l'arrangement paysagiste du terrain de ma voisine. Un jour, justement où elle travaillait ainsi à planter quelques fleurs, je lui en fis part tout en lui demandant si elle n'avait pas quelques trucs à me confier.

— Avec plaisir, me répondit-elle, et je suis bien contente que tu aimes cet arrangement. C'est important pour moi que les gens puissent admirer ma maison, le terrain. Je tiens à ce qu'ils en aient une bonne impression, tu sais.

Reconnaissance sociale que ce Lion allait chercher par le biais de sa maison, un miroir. La maison représentait pour elle la réponse et l'appréciation de l'environnement à ce qu'elle avait accompli.

Tout ce que fait notre Lion doit avoir une portée certaine et il en sera de même en amour. C'est de plus un signe de feu, ne l'oubliez pas, et il sera un amoureux ardent et passionné. Mais, car il y a toujours un « mais », il s'attend également à ce que cet amour lui soit retourné avec autant d'intensité. Vous savez bien, il est au théâtre. Et vous, en «spectateur» attentif, devez apprécier la qualité de ses performances. Comment saurait-il autrement que son amour est «valable» ? Une vedette a toujours besoin des applaudissements de son auditoire et le roi, de l'appréciation des membres de sa cour.

Ainsi donc, si vous décidez d'aimer un Lion, préparez-vous à être toujours en scène. Apprenez bien votre rôle, car il ne s'agirait pas que vous lui fassiez honte. D'un autre côté, il saura vous combler de cadeaux et vous serez alors pour lui, sa reine, ou son roi.

Il est quand même difficile de gagner sa confiance, il faut d'abord s'en montrer digne. Mais s'il décide que vous êtes son ami, ce sera pour longtemps. De plus, il sait être très généreux quoiqu'il soit très important de ne rien lui demander. Ce serait une erreur. J'en fis d'ailleurs un jour l'expérience. J'avais donc demandé, ô horreur, une faveur à François, un ami Lion. Bien entendu, il avait fait la sourde oreille. Pensant alors qu'il avait mal compris, je lui répétai ce que je voulais. Vous admettrez avec moi que c'était tout à fait inconvenant. Il se tourna donc vers sa cour et continua la conversation comme si absolument rien ne s'était passé. Je me tus alors et décidai d'attendre. Et j'attendis quelques mois quand un jour, il m'appela à la maison pour me laisser savoir qu'il était prêt à m'accorder la faveur que je lui avais demandée.

Notre merveilleux Lion aime bien prodiguer ses largesses quand il en a envie, à son heure.

Vous aurez déjà compris, bien sûr, qu'il ne faut surtout pas que vous soyez infidèle. Pour votre Lion, ce sera un acte de haute trahison et il vous expulsera de son entourage, de son royaume, physiquement sinon mentalement. Il vous sera alors extrêmement difficile de regagner sa confiance. Vous en aurez abusé une fois et il ne sera pas certain que vous ne recommencerez pas.

Inutile de vous dire que notre Lion adore se retrouver en société, s'il en est le point de mire, bien entendu. Encore une fois, il a besoin de cette reconnaissance et, en règle générale, même quand il ne dira rien, on réussira toujours à le remarquer à l'intérieur d'un groupe. Mais observez-le plutôt si, par hasard, il ne réussit pas à être le centre d'intérêt. Je dirais presque qu'il développera alors certaines manies : par exemple, il se désintéressera complètement de la conversation et prendra un air mortellement ennuyé. Aucun succès ? Il se dirigera alors nonchalamment vers un autre groupe. Toujours rien ? Tactique finale, il quittera tout simplement l'endroit où il se trouve lançant à toute volée pour qu'on le remarque bien, qu'il a mille et une autres choses très importantes à faire. Et voilà, il a réussi même si c'est sa sortie de scène.

Notre Lion a donc besoin de prendre sa place et il possède de remarquables qualités de commandement qui peuvent lui permettre de devenir chef d'entreprise et y demeurer longtemps. Il est fier et il aime briller mais notre Lion n'oublie jamais que c'est en fonction de ce qu'il accomplit. Ainsi donc, il fera du mieux qu'il peut ce qu'il a décidé de faire et il atteindra presque toujours les objectifs qu'il se fixe. Ne lui parlez pas d'échec. C'est un mot dont il ignore même la signification.

Pour être heureux à son travail, le Lion choisira un métier ou une profession dans lequel il peut exercer ses qualités de leadership. Il a besoin de rayonner dans son milieu de travail comme dans tous les autres domaines de sa vie afin de se prouver à lui-même ce qu'il est en se mesurant aux autres. Vous savez d'ailleurs très bien que le Lion développe d'autant mieux sa nature qu'il a le loisir d'être lui-même, comme me le laissait entendre un ami Lion.

«Pour être productif, vois-tu, je dois être content et fier de moi. Il est important que je me trouve beau et même que j'en arrive à ce que les autres me trouvent beau. Tu penseras peut-être que c'est très orgueilleux mais, pour moi, c'est un principe de motivation. Je ne veux rien enlever aux autres, il s'agit surtout de savoir comment moi je me sens avec moi.»

Voyez-vous, j'ai plusieurs amis Lion et je n'oserais affirmer qu'il s'agisse d'orgueil. Quand ils sont ainsi, ils sont tout simplement fidèles à leur nature et qui pourrait les en blâmer ? Je dois cependant reconnaître qu'il peuvent être un tantinet vaniteux et c'est pourquoi, même inconsciemment, on peut s'en faire rapidement des ennemis jurés.

C'est ce qui arriva à un de mes amis. Il participait à une importante réunion à laquelle assistait également un confrère Lion. Dans le feu de la discussion, cet ami en vint à critiquer le travail de son collègue Lion. Je vous laisse deviner ce qui arriva par la suite. Ainsi que me le raconta mon ami, ce Lion entra alors dans une rage froide. Il venait d'être discrédité devant tout un groupe, il avait perdu la face. Faute impardonnable, bien sûr, et comme mon ami et lui devaient travailler ensemble, vous pouvez vous imaginer dans quelle atmosphère ils se retrouvèrent par la suite.

Pour notre Lion, il n'y a alors plus de faveurs, plus d'amitié, plus de reconnaissance. Il fallut d'ailleurs plusieurs semaines à mon ami pour que, finalement, ils réussissent à s'entendre à nouveau. Mais cette fois cependant, leurs discussions furent strictement privées.

N'allez pas croire pour autant que le Lion n'accepte pas la critique. Bien au contraire. Il l'accepte et même il la souhaite car elle lui permet alors de modifier les énergies significatives qu'il croit exprimer créativement. Encore une fois, n'oubliez pas de lui faire vos remarques privément. Il ajustera alors son travail en conséquence afin de lui donner une meilleure portée. Et même, s'il ne se sent pas menacé, vous pourrez rapidement devenir son ami fidèle. Vous aurez alors droit à toute sa reconnaissance qui est à la mesure de son rayonnement, très grande.

À la recherche constante de son moi qu'il veut affirmer, la mission spirituelle du Lion consistera donc justement à prendre conscience qu'il est un individu unique avec un potentiel unique. Il lui faudra réaliser également que ce potentiel devrait avoir un objectif social car, à la limite, un roi n'est-il pas au service de son peuple ? Il ne faut pas que notre Lion renonce à ses ambitions. Il irait contre sa nature. Il lui est plutôt demandé de mettre celles-ci au service des autres.

Notre Lion est aussi entreprenant que le Bélier mais, contrairement à celui-ci, il s'assurera, avant de se lancer dans une entreprise, qu'il en maîtrise toutes les données. Le Lion prend conscience de son EGO, il développe le MOI et la volonté de l'individualité. Bien sûr qu'il veut briller. C'est le chef de la tribu, il a besoin des autres pour rayonner. Il est aussi le coeur qui pompe le sang aux vaisseaux sanguins.

Ainsi donc, pour l'Homme, le Lion symbolise l'épanouissement de l'EGO, du MOI. La conscience humaine émerge finalement du TOUT cancérien. Le Bélier voulait ÊTRE, le Lion EST. Entre les deux, il y a le désir et la réalité.

TABLEAU SOMMAIRE DU LION

Mot clé	Je m'exprime
Principe	Apparition de la conscience individuelle et développement du sens du MOI par l'expression de réalisations uniques et signifiantes.
Polarité	Positive
Croix	Fixe
Élément	Feu
Maître	Soleil
Symbole	♌

QUALITÉS	DÉFAUTS
fier	vain
généreux	vaniteux
protecteur	orgueilleux
cultivé	dictatorial, tranchant
raffiné	tyrannique
grande vitalité	extravagant
ambitieux	arrogant
affectueux	égoïste
passionné, ardent	centré sur lui-même
déterminé, persistant	prétentieux
consciencieux	présomptueux

LA VIERGE

LA VIERGE

21 AOÛT - 20 SEPTEMBRE

LA VIERGE

« *Je levai la tête, fort en colère. À ma gauche, au-dessus du mur, un visage apparaissait ; je distinguai, d'un coup d'oeil, une tête en forme de poire, recouverte en partie de cheveux d'un noir excessif, une énorme moustache et des yeux inquisiteurs.*

(Malgré tout), ce petit homme était si extraordinairement solennel. ... Il prononça (donc) cette dernière phrase d'un ton grave qui me produisit une impression étrange ; il semblait qu'il fût en mesure de juger Ralph en faisant appel à une science inconnue de moi.

... (Mais), l'attitude de mon nouvel ami me stupéfia. Il s'était laissé tomber sur le sol et l'explorait en marchant sur les mains et sur les genoux. De temps à autre, il secouait la tête, comme s'il était préoccupé et, enfin, il s'assit sur ses talons en murmurant : rien ... peut-être fallait-il s'y attendre. Pourtant, cela aurait eu une telle importance ! Soudain, il s'arrêta, frémissant, étendit la main vers une des chaises rustiques et en détacha quelque chose.

— Qu'est-ce ? m'écriai-je. Qu'avez-vous découvert ? Il sourit et ouvrit la main, afin que je puisse voir ce qui s'y trouvait : c'était un morceau de toile blanche empesée. Je le pris, le regardai avec curiosité et le lui rendis.

... il n'est pas facile de cacher quelque chose à Hercule Poirot.

... Un instant, cria (alors) Poirot, levant la main et paraissant très agité. Il faut procéder avec méthode,

exactement dans l'ordre où les actes se sont succédés, c'est une de mes petites manies.

L'inspecteur jeta, avec découragement, une allumette dans la cheminée. Poirot la ramassa et la mit avec soin dans un récipient réservé à cet usage. Son geste avait été absolument machinal.

— Deviner, dites-vous ? Moi je vous réponds : je sais, mon ami. »

Agatha Christie
Le meurtre de Roger Akroyd, Extraits.

NB : Le meurtrier était le docteur Sheppard.

Et la Vierge, vous connaissez ? Peut-être un peu tâtillonne, me direz-vous. On a parfois l'impression que sa tête est une vraie machine enregistreuse, elle semble n'oublier aucun détail. Vous avez raison, mais après tout, la Vierge est également tellement serviable. Et puis ne vient-elle pas immédiatement après le Lion flamboyant ? Vous conviendrez qu'il lui a laissé bien peu d'éclat. Ils se complètent cependant puisque je vous ai déjà mentionné que les signes allaient de pair.

Ainsi, le Taureau yin (énergie négative) a permis à l'énergie pure et incontrôlée du Bélier yang (énergie positive) de se matérialiser, de prendre forme. Vous vous rappellerez également que le Gémeaux yang ajuste et adopte la forme développée en Taureau à l'environnement alors que le Cancer yin l'intègre et la stabilise à la structure de l'environnement. Par analogie, on pourrait donc dire que cette structure représente l'individu lui-même.

Et ce Lion que nous venons de quitter a eu la possibilité d'épanouir cette structure élémentaire de l'individu. Celui-ci est donc maintenant capable de percevoir qu'il est, et qu'il a, un potentiel unique. Cette cinquième étape lui a donc permis de savoir qui il était et ce qu'il pouvait faire mais il n'a pas encore appris à composer socialement ou plutôt à utiliser son potentiel en relation avec les autres.

Revoyez votre Lion ! Il se préoccupait beaucoup plus des ordres qu'il donnait que des personnes qui les exécutaient. Ce Lion yang avait besoin de son entourage mais pour que celui-ci apprécie ses performances. Imaginez-vous un instant qu'il ait eu à se produire devant une salle vide. Quelle tragédie !

Ainsi donc, la salle est maintenant vide, les spectateurs sont rentrés chez eux et la Vierge entre en scène, seule. Elle doit vivre la sixième étape du développement humain et elle est encore bien loin de l'union coopérative qui lui sera demandée en Balance, premier signe social. C'est le dernier signe personnel et, loin des feux de la rampe, elle doit maintenant évoluer dans l'ombre des coulisses.

Et cela n'est pas sans raison. D'ailleurs, observez la Vierge dans un groupe. Si vous n'y prêtez pas attention, vous pourriez très bien ne jamais la remarquer, sauf peut-être si elle décide de vous lancer une de ces réparties cinglantes dont elle seule a le secret.

En l'observant, on aura souvent l'impression qu'elle se concentre comme si elle ne voulait rien manquer, ne rien laisser échapper. En fait, la Vierge yin réalise, bien inconsciemment, qu'elle fait partie de quelque chose de plus vaste et elle veut comprendre. Et cet univers plus vaste, c'est la société et la culture auxquelles elle appartient.

Signe mutable, elle réalise très bien qu'elle n'a plus à se définir, le Lion s'en est d'ailleurs très bien chargé pour elle. Elle sait donc qu'elle n'a plus rien à prouver mais qu'elle doit se transformer afin de s'intégrer éventuellement dans ce tout socio-culturel. Elle finira par comprendre que la société n'a pas besoin d'individus comme tels mais bien plutôt de ce que ces mêmes individus peuvent lui apporter d'unique et de valable. Ainsi, sa transformation passera par la critique de ses actions passées.

Comme le Lion pouvait facilement devenir imbu de lui-même parce qu'il cherchait à affirmer son MOI, ainsi la Vierge pourra aisément critiquer à tort et à raison puisque c'est le moyen dont elle dispose pour se transformer avant d'en arriver, en Balance, à l'étape sociale. Il est nécessaire qu'elle se métamorphose avant d'être en mesure de jouer un rôle social.

De polarité négative, la Vierge aura une tendance naturelle à se retirer dans son «cocon» d'où elle procédera à une évaluation en profondeur. Dans le cas de la Vierge, il s'agirait presque d'une dissection et ainsi, elle sera très sensible à la critique. Si vous connaissez des Vierge, ne leur dites pas n'importe quoi ni, surtout, ne le faites pas n'importe comment. Vous pourriez alors les voir jongler durant des heures et des heures. Elle prend tout très au sérieux, notre Vierge.

Mais ces temps d'arrêt sont pour elle nécessaires et lui permettent de réfléchir et de se ré-orienter. Comme tous les signes mutables, elle a besoin à l'occasion de s'isoler.

Pour mieux comprendre la Vierge, je vous propose un court voyage dans le temps, et plus précisément au Moyen Âge. Rassurez-vous, cela n'est pas si loin et vous n'aurez même pas conscience du retour. Ainsi donc, au Moyen Âge, tout individu qui se connaissait un talent particulier devait se trouver un «maître» qui lui enseignerait la maîtrise de son art. Pensez, par exemple, aux confréries de maçons ou de marchands. Avant qu'il lui soit permis d'avoir pignon sur rue, cet individu devait alors avoir subi l'influence «contagieuse» de ce maître.

La tradition fait souvent bien les choses et la Vierge, apprentie, sait qu'avant de pouvoir coopérer, elle doit d'abord apprendre à servir. Elle doit apprendre à maîtriser tout mouvement d'orgueil, à développer un sentiment réel d'humilité, à dompter son EGO. C'était le rôle du Lion de l'affirmer, non le sien. Ainsi, elle cherche «sa» place et doit donc éviter de la prendre toute.

Cette tempête de neige avait été particulièrement sévère et j'envisageais sans plaisir le déneigement de l'entrée du garage. J'en aurais certainement pour plusieurs heures surtout avec ma pelle. Je me préparais donc à commencer, sans grand enthousiasme je dois l'avouer, quand arriva mon voisin qui est Vierge.

— Ne te donne pas cette peine, me dit-il, j'ai tout l'équipement qu'il me faut et je n'en aurai que pour quelques minutes .

Non seulement déblaya-t-il toute mon entrée, mais encore celle de deux ou trois autres voisins. Quant à moi, je me passai la réflexion que cette Vierge avait certainement trouvé «sa» place. Pour une Vierge, sa place passe par le service qui est pour elle un apprentissage.

Il faut quand même ajouter que certaines Vierge peuvent tenter de manipuler les autres à travers le service qu'elles rendront. Elles seront alors rarement satisfaites et rien ne semblera être à leur mesure. Elles critiqueront sans cesse.

La Vierge apprend toujours et surtout en réalisant que d'autres individus autour d'elle ont peut-être quelque chose à lui apporter. Prenons un exemple bien banal, la cuisine. Vous admettrez avec moi qu'on peut trouver sur le marché quelques livres relatifs à cet art. Je dois cependant dire que toutes les Vierge que j'ai connues se sont servies de ces livres avec une remarquable efficacité. Elles apprenaient.

Ainsi, l'une de ces Vierge avait le don de préparer à sa petite famille mille et une gâteries qu'elle avait glânées et améliorées en parcourant ces livres. Une autre, avait réussi à y trouver mille et un secrets de saine alimentation dont elle aimait bien, par ailleurs, vous donner tous les détails. Et cette autre encore, qui arrivait toujours à l'improviste pour me donner cette recette qui,elle le savait, allait me plaire. La Vierge ne fait pas qu'apprendre, elle sait mettre à profit ce qu'elle ingère.

De toute façon, la Vierge adore apprendre et elle se prête très bien à cet exercice de «discipulat». Elle le rechercherait même comme pour se reposer en arrière-scène de l'exubérance qu'elle vient de vivre en Lion.

Cependant, afin de se transformer et d'atteindre la perfection, la Vierge procédera à une auto-analyse rigoureuse. Boileau devait être Vierge, lui qui affirmait : «Cent fois sur le métier remettez votre ouvrage ; polissez-le sans cesse et le repolissez ...» Et c'est tout à fait ce que fait la Vierge, sans cesse.

Malheureusement, la Vierge n'a pas ce souci de transformation uniquement pour elle mais également pour le monde physique qui l'entoure. Ainsi, habituellement, l'endroit où elle habite sera-t-il d'une propreté méticuleuse. Elle est de ces personnes dont on dira que chez elles, on pourrait presque manger par terre. Et pour avoir connu plusieurs Vierge, je dois avouer que c'est littéralement vrai. J'ajouterais même, sans jeu de mots, que chez elles, tout brille de propreté.

Ce souci du détail, cependant, s'applique aussi aux personnes qu'elle peut rencontrer. Ainsi, certains auteurs affirment qu'on peut se faire une idée d'une personne dans les quatre premières minutes de contact. Ils ajoutent encore que cette perception peut prendre des jours, voire même des années avant de se modifier. Avez-vous déjà observé une Vierge mettre ces quatre minutes à profit ? Allez-y, faites comme elle. Vous réaliserez alors que lorsqu'une Vierge vous rencontre pour la première fois, elle met son radar en marche. Elle vous analysera de fond en comble, verra si un cheveu dépasse, si un lacet est détaché et partant de ces quelques détails, elle se fera une idée de ce que vous êtes. Une amie, dont le frère est Vierge, me racontait ce qui suit:

Un soir qu'il avait décidé de marcher un peu pour se tenir en forme, il arrêta chez elle pour prendre un café. Il avait à peine mis les pieds dans la maison quand il la «regarda» tout à coup et s'exclama :

— Tu sais, tu pourrais perdre quelques livres. Cela ne te ferait pas de tort.

En quelques secondes, il venait d'analyser, de synthétiser, et le résultat ne s'était pas fait attendre au grand dam de mon amie qui s'attendait, évidemment, à tout autre chose.

Quant au frère de cette amie, il avait trouvé qu'il y avait manque d'harmonie entre ce qu'elle était et l'image qu'elle donnait. C'était pour lui un non-sens. Parce que la Vierge essaie de trouver l'harmonie qui peut exister sur deux plans. Ainsi, le Gémeaux voulait comprendre l'équilibre entre son environnement et lui alors que la Vierge veut que son environnement soit plus ordonné en même temps qu'elle s'y adapte.

La Vierge, donc, aura tendance à s'en faire pour un rien et elle pourra facilement développer des ulcères.

Pour une Vierge, les problèmes psychologiques se manifestent souvent au niveau de l'estomac.

Mais la Vierge, signe de terre, est pratique comme le Taureau. Ainsi donc, elle sera beaucoup plus concernée par la nécessité que par l'opulence. Si elle est mère de famille, par exemple, elle saura apprêter les «restes» de toutes les façons. Il ne saurait être question de gaspiller.

Par contre, elle peut être intellectuelle comme le Gémeaux puisqu'ils ont tous deux le même maître au moment où ce livre est écrit. Elle trouvera donc ses connaissances en développant des aptitudes ou une expertise professionnelles dans un domaine précis.

Sa façon de procéder, cependant, est analytique, logique et raisonnée. Pas question d'aller à l'aveuglette avec elle. Le changement, mais en autant qu'il soit pratique. Puisqu'elle peut voir toutes les facettes d'une question, elle ne gaspille aucune énergie. Pas plus qu'elle ne perdra son énergie à parler de ce qu'elle fait. Ainsi, le frère Vierge d'un ami décrocha un jour un fabuleux contrat. Je l'appris cependant bien plus tard et je m'empressai alors de l'en féliciter.

— Ce n'est rien, me répondit-il laconiquement.

Pour lui, peut-être. La Vierge a horreur de s'expliquer.

Mais! La Vierge est-elle aussi méticuleuse en amour ? Allons donc, qui s'en plaindrait ? Cependant, indépendamment de cela, la Vierge peut choisir entre deux options. Dans un premier cas, elle aura tendance à rechercher la perfection chez son partenaire le critiquant souvent pour un rien. Et c'est dommage, comme le réalisa bien tristement une amie Vierge.

Ainsi, Rosalie ne cessait de houspiller son pauvre mari qui n'arrivait jamais à trouver grâce à ses yeux. Il ne gagnait pas assez d'argent, il était trop paresseux, il était trop ceci ou trop cela. Elle n'était jamais satisfaite. Elle en vint à un tel point d'exaspération, de critique devrais-je dire, que, finalement, elle l'abandonna. Malheureusement pour elle, elle y perdit tout, y compris ses enfants.

Elle aurait peut-être eu avantage à apprendre à être plus patiente non seulement avec son époux mais bien avec elle-même.

D'un autre côté, elle peut avoir tendance à tout faire pour son partenaire. De la même façon, peut-être parce qu'elle considère qu'il ne le fait jamais assez bien. Elle pourra alors avoir tendance à le priver de ses initiatives et, tôt ou tard, il en viendra lui aussi à se lasser de cette situation. Dans les deux cas, notre Vierge doit arriver à distinguer l'important du superficiel, l'utile du futile.

Je connais quand même un autre cas de couple dont l'un des partenaires est également une Vierge. Je ne saurais vous dire ce que furent les premières années de leur mariage, mais je puis vous dire qu'aujourd'hui ils forment la plus merveilleuse paire d'amis. Et c'est ce qui arrive assez régulièrement chez un natif ou une native de ce signe. Et croyez-moi, il s'agit alors d'une amitié durable.

La Vierge traite de la même façon ses relations amicales. Elle juge peut-être un peu trop. Laissez-moi plutôt vous raconter ce qui arriva à une de mes amies Vierge.

Un important personnage se présente un jour à nos bureaux afin d'expliquer une nouvelle politique dont l'influence se ferait sentir à l'échelle nationale. Ma collègue, Vierge, se trouvait à mes côtés et me lança :

— As-tu vu ? Les lacets de ses souliers ne sont même pas attachés ! Comment a-t-il pu venir ainsi rencontrer les gens ?

Cette personne avait quand même une mise très soignée et notre Vierge fut très surprise quand on lui fit savoir que cet individu avait d'importants problèmes de circulation sanguine aux pieds et que, par voie de conséquence, il n'avait pu, ce matin-là, lacer ses souliers.

Elle en resta bien déconfite car ce sont des personnes qui ont le coeur sur la main. C'est quand même ainsi que je puis presque toujours reconnaître une personne fortement marquée par la Vierge. Elles ont une façon tellement personnelle de toiser quelqu'un qu'elles rencontrent pour la première fois ! J'ajouterai que cet examen se fait lentement, de la tête aux pieds. Et alors notre Vierge se fait une idée bien précise de ce que vous êtes.

Il faut ajouter aussi que la Vierge a un pouvoir d'analyse très sophistiqué et qu'il y a de fortes chances pour qu'elle ait raison sur bien des points. Mais elle se fait quelquefois prendre à son propre jeu et elle a donc peu d'amis.

Elle aura aussi tendance à penser qu'elle est une personne peu intéressante. Mais combien elle se trompe. En société, elle peut avoir un sens de la répartie tout à fait exceptionnel. Et comment en serait-il autrement, elle n'oublie aucun détail. Bien sûr, son humour est un peu à froid, mais alors ne rit-elle pas d'elle-même ?

Encore une fois, nous en revenons à son esprit analytique, à sa rigueur mentale, à son souci de l'ordre et à son sens des responsabilités. Ces qualités en font un collaborateur exceptionnel surtout quand on sait que la Vierge a peu besoin de reconnaissance pour l'excellence de son travail. Mathieu, par exemple, refait son patio, ré-aménage son domicile, réussit à trouver mille «trucs» pour utiliser tous les espaces et il n'en parle pas. On le sait quand on met le «doigt» dessus. En fait, comme pour toutes les Vierge, sa récompense consiste à savoir qu'il a bien fait ce qu'il avait à faire. Et pourtant, comme il est fier quand on n'oublie pas de lui dire qu'il a fait du bon travail.

Dans les grandes organisations, on le retrouvera donc souvent dans le rôle d'«éminence grise», dans l'ombre des grands de ce monde. Il n'a pas besoin de briller, comme le Lion, il a surtout besoin d'être efficace.

Un problème guette cependant notre Vierge méticuleuse et minutieuse. Toujours à l'écoute de ses critiques d'elle-même, elle se fixera de très hauts standards de productivité. Si elle ne pouvait les atteindre, il y a de grands risques qu'elle laisse tout tomber.

Claire décida un jour qu'elle en avait assez de ramasser derrière tout le monde. Elle laissa donc s'accumuler dans la chambre de ses enfants toutes les «traîneries» qu'ils avaient. Et croyez-moi, il ne s'agit pas d'un jeu de mots. Quand une Vierge abandonne, elle abandonne complètement.

Nos amis Vierge, cependant, devraient toujours se souvenir qu'un rendement ordinaire pour eux peut-être synonyme d'excellence pour d'autres. On ne trouve pas la Vierge pointilleuse pour rien. Elle exige des autres ce qu'elle exige d'elle-même. D'ailleurs, elle est très préoccupée par l'impression qu'elle peut donner. Elle prendra donc un grand soin de la critique sociale de ses actions, s'assurant bien que personne, et surtout elle-même, ne soit blessé.

Et pourtant, j'aimerais lui dire que très peu de personnes peuvent atteindre son niveau de perfection. Ainsi, elle en viendra à tellement bien maîtriser son travail qu'elle perdra le goût d'en expliquer les rudiments à un autre. Ce serait trop long d'entrer dans les détails, bien qu'elle soit experte à les dénicher. Elle préfère donc demeurer silencieuse quand on lui pose des questions sur son travail.

La Vierge, alors, pourra être attirée vers les occupations exigeant un grand sens de l'observation, de la méthode, de l'analyse et de la dextérité. Elle essaiera donc autant que possible de se trouver un travail dont les tâches à accomplir sont clairement définies et dans lequel elle peut s'impliquer en rendant service. Et ce sont bien toutes qualités qu'on exige d'un apprenti.

Mais j'aimerais vous donner un autre exemple de la faculté de service de la Vierge. Dernièrement, Natalie me racontait :

— Je ne comprends pas que les gens ne s'aident pas quand ils sont en panne sur la route. Ainsi, vois-tu, j'ai toujours une provision de «gas line» dans ma voiture. Et combien de fois l'hiver dernier, ai-je pu ainsi dépanner d'automobilistes ? Dès que j'en voyais un immobilisé sur l'accotement, je m'arrêtais. Je dois dire que neuf fois sur dix, mon petit contenant de «Gas line» le dépannait. Cela me faisait plaisir de leur donner.

Bien sûr elle critique, bien sûr, elle a tendance à observer peut-être un peu trop, mais il ne faut pas oublier qu'elle se cherche à travers toutes ces critiques. Elle a tellement besoin de perfection.

La Vierge est le sixième signe et la dernière phase du cycle individuel. Elle a en main toutes les données mais encore faut-il qu'elle les polarise afin de jouer vraiment son rôle social. Spirituellement donc, la Vierge devra centrer ses efforts sur la signification de cet éventuel rôle social plutôt que de s'attacher à se critiquer sans cesse et donc porter son attention sur elle-même.

Elle doit apprendre à être patiente avec les autres et tolérante avec elle-même. Ce rôle d'ailleurs, elle le découvrira en laissant les événements venir à elle et ces expériences lui serviront alors de laboratoire. Le sixième signe est celui du travailleur et du serviteur altruiste de l'humanité et ce laboratoire dans lequel elle se sent tellement à l'aise lui servira à utiliser ses talents d'analyse, d'observation et d'introspection.

Son but et sa sécurité seront de développer ses qualités d'humilité, de tolérance et de compréhension, qualités qui lui permettront enfin de jouer ce rôle social auquel elle a été préparée depuis le Bélier. Sans but, elle risquerait finalement de se sentir incomplète et aigrie.

Mais puisque la Vierge ira finalement jusqu'à la Balance, elle comprendra qu'elle a fini de se dépouiller, individu, pour arriver partenaire dans le premier signe social.

TABLEAU SOMMAIRE DE LA VIERGE

Mot clé	Je transforme
Principe	Le sens critique et d'analyse permet au MOI de repolariser son potentiel unique vers des objectifs sociaux plutôt qu'égocentriques.
Polarité	Négative
Croix	Mutable
Élément	Terre
Maître	Mercure
Symbole	♍

QUALITÉS	DÉFAUTS
analytique, logique	craintif
raisonné, sérieux	pointilleux
ordonné	calomnieux
efficace	soucieux
responsable, précis	inquiet
perfectionniste, méthodique	formaliste
minutieux, soigné	sans envergure
propre	manque de diplomatie
réservé, modeste	
prudent	
serviable	
laborieux	

LA BALANCE

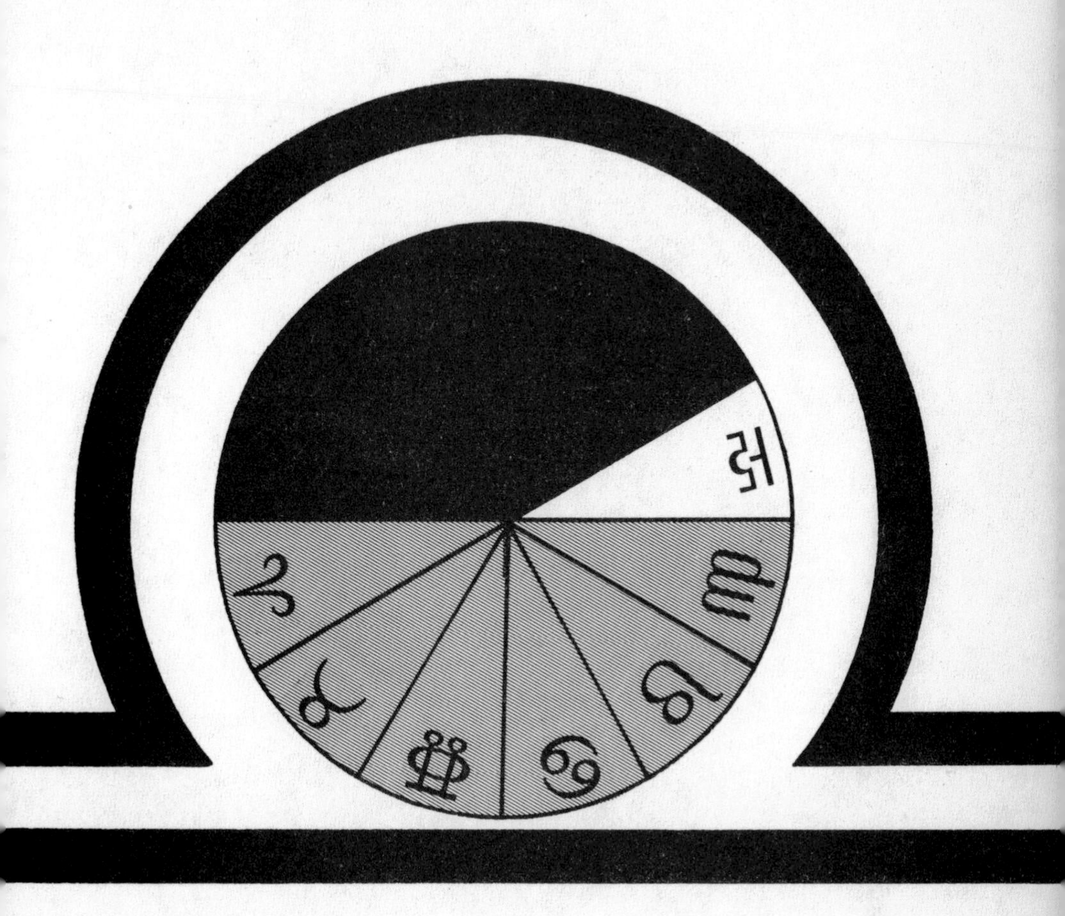

LA BALANCE

21 SEPTEMBRE - 20 OCTOBRE

LA BALANCE

Un peu froid, d'une élégance subtile, il allait d'un groupe à l'autre avec aisance, s'y arrêtant juste le temps d'échanger quelques phrases. Il aurait pourtant fallu que j'aie un entretien en tête-à-tête avec lui.

— Mais non, mon ami ! m'avait-il répondu. Nos invités en auraient trop facilement la puce à l'oreille. Attendons plutôt d'être seuls.

Les heures semblaient prendre plaisir à s'étirer. Quant à lui, malgré l'atmosphère tendue de la soirée, il continuait imperturbablement sa ronde des invités. Sans l'entendre, je savais qu'il saurait trouver pour chacun le mot juste et que tous, finalement, repartiraient doutant qu'il puisse se préparer quelque événement grave.

Je le retrouvai quelques heures plus tard dans son bureau, une pièce large, élégamment meublée et dont chaque objet semblait parfaitement s'harmoniser à l'ensemble. Lui-même d'ailleurs, s'intégrait à merveille dans ce décor qu'il avait conçu. Nonchalamment installé dans un fauteuil, il présentait, comme toujours, l'image du plus grand raffinement. On avait toujours l'impression qu'il avait mis des heures à agencer le moindre détail de sa tenue. C'était cependant inné chez lui et beaucoup s'y étaient laissé prendre.

— Parlons donc de cette crise, commença-t-il. Vous vous doutez bien qu'il est impératif que nous demeurions tout à fait impartial en cette matière. Mais dites-moi d'abord si vous avez des éléments nouveaux à m'apporter.

— Eh bien voilà, monsieur le Diplomate ...

Et nous arrivons à la Balance, perpétuellement en quête d'équilibre et d'harmonie. Elle a bien sûr une idée tout à fait précise de la façon dont elle veut atteindre cet équilibre et elle ne se privera pas, à l'occasion, de vous manipuler un peu. Mais elle a tellement de charme qu'on peut facilement se laisser prendre à son jeu. Et puis, sa vie n'est pas toujours facile, elle s'essaie quand même à la vie sociale.

C'est en effet le premier signe social. Vous vous rappellerez que la première partie du zodiaque traitait surtout du développement de l'individu à la recherche de son identité individuelle. La deuxième partie, elle, traitera de l'individu qui essaie de s'intégrer de plus en plus dans l'ordre social.

Première étape de véritable socialisation, la Balance correspond également à la plus simple des relations sociales soit celle d'un individu par rapport à un autre individu, d'un groupe par rapport à un autre groupe. Et la Balance a besoin de cette relation, comme je le réalisai souvent avec les amis de ce signe. Ainsi, elle vit difficilement seule, puisqu'elle trouve sa réalisation au contact d'un autre.

Il faut aussi mentionner qu'à partir de la Balance, chaque signe peut être mis en parallèle avec son opposé. Il pourrait s'agir en fait d'une transposition au niveau social de ce qui a été entrepris au niveau individuel. Ce parallèle a cependant ses limites comme nous pourrons le constater.

Le Bélier, par exemple, n'avait pas besoin de l'accord social pour agir. Il allait de l'avant, il relevait les défis et c'est tout ce dont il avait besoin. En contrepartie, la Balance aspire sans cesse au renforcement social pour développer son sens du MOI. Sans les autres pour communiquer, elle se sent comme une fleur sans eau, tout à fait démunie. Ses contacts constants avec les autres aident son épanouissement.

Si vous vous souvenez, les créations du Lion étaient son miroir. Pour la Balance, c'est «l'autre» qui jouera ce rôle et qui alors réfléchira pour elle, une image objective de ce qu'elle est. Elle pourra ainsi vérifier si ce qu'elle fait, pense ou dit est bon, souhaitable ou valable. D'ailleurs, combien de fois n'entendrez-vous pas une Balance vous mentionner ce qu'elle fait en citant les paroles de l'autre.

— Il adore recevoir ses amis à la maison. Il trouve que j'ai un talent fou pour cela.

— Telle amie me demande sans cesse conseil pour décorer sa maison. Elle me dit toujours que j'ai le sens de la couleur.

Contrairement au Bélier subjectif qui écoutait peu l'opinion des autres et était toujours prêt à recommencer s'il se trompait, notre Balance vise à l'accord, au consenternent avant d'agir. Pour cette raison, on dira qu'elle est objective. Cette recherche du consentement, toutefois, se fait parfois grâce à des compromis qui ne s'avèrent pas toujours souhaitables.

Martine en est un exemple bien typique. Elle et son mari projetaient un voyage à l'automne et elle aurait bien aimé visiter une partie de l'Europe. Quant à lui, il y avait ce petit coin des États-Unis qui l'attirait tout particulièrement. Il y eut beaucoup de discussions, beaucoup de compromis et notre Balance décida finalement d'abandonner. Elle n'aurait jamais fait son voyage en Europe si tout à coup, le dollar canadien ne s'était mis à dégringoler, alors qu'il conservait une certaine valeur sur le marché européen. Mais elle voulait avant tout la paix et l'harmonie et était prête à bien des concessions pour y arriver quitte à se priver de ce qu'elle aimait.

Il faut quand même ajouter que souvent la Balance fera semblant d'abandonner et obtiendra presque toujours ce qu'elle veut.

Quant à sa recherche de l'harmonie, une simple note sur le déroulement des saisons nous aidera à la comprendre encore mieux. Le signe du Bélier commence avec l'équinoxe de printemps alors que celui de la Balance commence avec l'équinoxe d'automne. Ces deux périodes marquent l'équilibre du jour et de la nuit. Cependant, l'équinoxe de printemps annonçait des jours plus longs et à l'automne, les nuits prendront le pas sur le jour. C'est donc dire que la vie intérieure (spirituelle) de l'individu aura maintenant plus d'importance que sa vie extérieure (corporelle). La Balance recherche maintenant l'équilibre, mais de l'intérieur puisqu'elle a en main tout ce qu'il lui faut pour partir à la découverte de son identité. Ce sont les autres qui l'aideront à trouver cette identité sociale et c'est pourquoi elle craindra la solitude par-dessus tout.

La Balance est un signe positif et elle n'attendra pas que l'autre vienne à elle pour que s'ébauche une relation. Elle la provoquera plutôt dès qu'elle aura le sentiment que telle personne peut l'aider à se mieux définir, et en conséquence, à se réaliser davantage. Cela me rappelle d'ailleurs une amie Balance. Dès qu'elle a décidé que telle personne de son entourage lui plaît, Simone commence sa guerre du charme. Elle prend alors tous les moyens pour l'inclure dans sa vie en lui montrant comment elle sait s'adapter à ses besoins et qu'ils se complètent tellement bien. Je puis vous assurer que j'en ai vu plus d'un succomber à ces attaques romantiques.

Il faut dire que l'homme ou la femme Balance sait très bien faire ressortir chez l'autre sa féminité ou sa masculinité. C'est que la Balance, de polarité masculine, est en mesure de très bien prendre conscience de la nature bi-sexuelle de l'homme. Elle sait donc que chaque individu, qu'il soit homme ou femme, est composé d'une partie féminine et d'une partie masculine. C'est ce que Jung traduit par les concepts d'«anima» et d'«animus», l'anima étant la composante féminine de la psyché de l'homme et l'animus, la composante masculine de la psyché[1] féminine.

Il s'agit encore ici de l'équilibre des forces naturelles que la Balance symbolise bien. Sa recherche d'équilibre et d'harmonie marque son retour à l'Unité. Cette tendance cependant, lui donne un profond désir de tout ce qui est beau et peut l'amener à refuser de voir les réalités désagréables et à essayer de camoufler les problèmes.

«Je sais que tu as raison et que je devrais tenter d'améliorer cette situation mais je préfèrerais que tu ne m'en parles pas,» ne cessait de me répéter Étienne. «Quand tu me parles ainsi, j'ai l'impression que les choses sont encore plus désagréables. J'ai déjà bien assez de les vivre, sans en entendre parler en plus.»

Sans compter, que ces problèmes, cher ami Balance, t'empêchent de poursuivre la route vers l'harmonie et la beauté. Consciente de sa recherche vers le retour à l'Unité, la Balance saura donc activer la partie féminine ou masculine de son être à travers des partenaires ou associés qu'elle se choisira.

C'est le principe même de la Balance, son besoin de justesse. Autant le Bélier était individualiste et ne voulait pas retrouver l'autre dans son champ d'action, autant la Balance aura besoin de l'autre pour objectiver, pour qu'on lui dise que ce qu'elle fait est bon, pour continuer. J'avais donc un jour été le témoin bien involontaire d'une querelle entre un ami Balance et sa compagne. J'allais quitter les lieux discrètement quand il m'arrêta :

«Inutile de partir, nous avons terminé.» Mal à l'aise, j'hésitais quand même un peu. Il ajouta alors :

«Tu sais, nous avons eu un léger désaccord et depuis quelques jours, nos relations étaient plutôt froides. J'en ai eu assez et j'ai décidé d'y mettre fin.»

En fait, mon ami trouvait cette absence de relations avec sa compagne tout à fait insupportable et plutôt que de laisser les choses continuer ainsi, il en avait conclu qu'une bonne querelle valait mieux que ce silence. Plus

---

1) PSYCHÉ : En psychanalyse, l'âme, la conscience supérieure.

la Balance est en mesure de présenter à l'autre ce qu'elle fait et plus elle peut développer sa nature intrinsèque, son essence.

La Balance est aussi un signe d'action et elle sait donc débuter tout genre d'activités sociales dans lesquelles les gens peuvent entrer en relation entre eux. On fera appel à elle dans ce domaine tout comme on fait sans cesse appel à Marie. Qu'il s'agisse d'organiser un «brunch» du dimanche ou une soirée mondaine, toutes ses amies ne cessent de l'appeler pour qu'elle leur organise ces petites réunions. On lui demande même si l'on peut amener des personnes qu'elle-même ne connaît pas du tout.

— Écoute, j'amène Une Telle. Tu ne la connais pas mais je suis certaine que tu t'entendras à ravir avec elle.

Dernièrement, elle me fit la remarque qu'elle n'aimait pas vraiment s'occuper de ce genre de choses. Un peu étonné, je lui demandai alors pourquoi elle continuait quand même. Elle ne me répondit pas directement, mais je finis par en conclure qu'elle se trouvait sans amoureux. En fait, elle aimait toujours organiser ces rencontres mais elle aurait aimé avoir quelqu'un pour l'accompagner.

De plus, la Balance a ce don rare de savoir dépister et de mettre en contact les personnes qui sont susceptibles de fort bien s'entendre lors de ces activités sociales. Elle a, vous le savez maintenant, toujours le souci de l'harmonie et de l'équilibre. Il lui semblerait donc tout à fait inopportun de faire côtoyer des personnes qui auraient plutôt tendance à s'affronter. C'est une diplomate-née et ses soirées ou rencontres sociales seront ainsi toujours une réussite.

À la base de son comportement, elle sent également toujours que la meilleure façon de développer son MOI est avec un autre que SOI. En autant, bien entendu, que la relation s'exerce sur un pied d'égalité, que ce soit pour elle ou pour les autres.

Cette septième phase évolutive de l'Homme ne l'astreint plus aux contingences terrestres comme dans les six premiers signes. La Balance, signe d'air, peut alors désormais penser à autre chose qu'à sa survivance. Son cycle de développement individuel est accompli, elle peut se consacrer à son développement social et spirituel. Cela ne veut pas dire qu'elle n'aura pas à travailler, elle se laisserait d'ailleurs tenter bien facilement par la paresse mais simplement que ses principales préoccupations mentales seront sociales.

On se rappellera que l'intellect du Gémeaux, premier signe d'air, se nourrissait principalement d'idées et d'information. La Balance, quant à elle, utilisera ses facultés intellectuelles pour entrer en relation sociale avec ses semblables et son intellect se portera donc plus vers la psychologie humaine.

— Je suis incapable de travailler avec cette personne, me confiait un ami. J'ai l'impression que je tourne en rond.

— Mais as-tu remarqué la façon dont cette personne communiquait ? lui fis-je remarquer. Observe comme elle prend le temps d'écouter. Pourrais-tu en faire autant ? Il m'avoua alors bien honnêtement qu'il en serait incapable?

Tout est lié dans le zodiaque et il est des moments où il faut exécuter (Lion), d'autres où il est indispensable de faire un retour sur ce que nous avons fait (Vierge), et d'autres encore où il faut s'arrêter pour échanger avec l'autre (Balance) afin qu'il sente bien que ce qu'il pense ou ce qu'il fait est valable et mérite d'être poursuivi.

Sa facilité à communiquer lui donne accès à la société alors qu'il exploitera son esprit raffiné pour plaire, se faire accepter et aimer. Nous ajoutons alors un zeste de charme (qualité vénusienne) à ses attributs intellectuels et il en découle que la Balance aura un sens des valeurs assez juste lui permettant de discerner et d'apprécier la beauté. Elle saura donc s'entourer de belles choses . Sa maison ou son appartement en fera d'ailleurs foi. Ainsi, avez-vous remarqué ce petit bibelot qu'elle aura déposé précisément sur cette étagère parce qu'il s'harmonisait mieux à l'ensemble ? Ou encore, ces fleurs qui sembleront négligemment disposées dans un vase précieux mais ajouteront un «je ne sais quoi» à une pièce ? Ou encore ce fichu qu'elle nouera autour de son cou pour compléter l'élégance de sa tenue vestimentaire ? Vous vous souvenez que notre Balance a le sens des couleurs et de la proportion.

En conséquence, on pourrait presque dire qu'elle a un sens inné du compromis. N'allez pas penser pour autant qu'elle accepterait n'importe quoi sur la simple foi d'une belle présentation. Ce serait mal la connaître. La Balance est signe d'air et d'action et est donc capable de penser et d'agir rapidement. Vous risquez donc facilement de vous retrouver victime inconsciente et passive d'un jeu de manipulation mené avec adresse et brio.

Sauf s'il s'agit d'éviter chicanes et disputes. Alors là, mon amie Balance est prête à beaucoup de compromis. Elle essaiera de vous amener à sourire et si rien n'y fait, elle se retirera dans son coin, silencieuse, attendant que l'orage passe. Les disputes lui répugnent et heurtent son sens de l'harmonie, sauf bien entendu, s'il s'agit de son amoureux.

Mais ceci est une autre histoire. Première étape sociale, la Balance cherche la relation avec «l'autre». Et dans notre société, quand on parle de relation avec un autre, cela sous-entend habituellement une relation amoureuse. Ainsi donc, pour notre Balance, l'amour sera-t-il d'une importance capitale puisqu'il signifiera pour elle l'échange d'un individu avec un autre individu.

Comme je vous le disais plus haut, cet autre est pour elle le miroir réfléchissant dans une certaine mesure sa valeur réelle. Malgré une vie sociale très active, la Balance a l'impression d'être seule si elle n'est pas aimée. Bien sûr, elle a ses amis mais, dit-elle, «ce n'est pas la même chose. Je sens plus que je suis moi-même quand je suis amoureuse.»

C'est exact. Plutôt que de vivre la solitude, la Balance poursuivra toute forme d'associations qu'elle soit affective ou professionnelle. Bien entendu, la relation amoureuse prendra toujours la première place mais si son coeur est libre, mon ami Balance ne restera pas seul. Il ira au spectacle, il rencontrera des amis, en un mot, il ne sera jamais chez lui. Pensez-donc, il serait seul.

C'est pourquoi la Balance se promène allègrement d'une association à une autre. Dès qu'une se termine, une autre recommence. Et même certains natifs de la Balance, comme je vous l'indiquais précédemment, se laisseront aller à une petite dispute à l'occasion puisque celle-ci implique obligatoirement, une relation avec une autre personne. Il ne faudrait quand même pas supposer que la Balance ne soit pas une amie fidèle. Elle le sera à sa façon même si elle peut être quelque temps sans vous donner de nouvelles. Et quand vous la reverrez, ce sera comme si vous l'aviez quittée la veille, elle a tant de choses à vous raconter.

Ce besoin de découvrir son autre MOI (anima-animus) la mettra en quête du partenaire idéal lui permettant de «se compléter». Et c'est bien là le drame que vit Josée.

— Je ne veux pas grand-chose, me dira-t-elle. J'aimerais simplement que nous soyons proches l'un de l'autre, que nous partagions nos activités, que nous ayons des projets communs. Tu sais, je suis tout à fait ouverte à ce qu'il peut désirer et cela serait tellement merveilleux s'il pouvait comprendre que nous sommes tellement bien ensemble. Je me demande si je ne suis pas un peu trop disponible.

Peut-être un tantinet, bien qu'elle essaiera, peut-être inconsciemment, de manipuler son conjoint pour l'amener à vivre une relation qu'elle voudrait idéale. Malheureusement pour la Balance, son objectif est utopique parce que le partenaire idéal n'existe pas sinon au niveau de la pensée. Notre Balance se retrouvera donc souvent en mal d'amour et butinera d'une fleur à l'autre espérant, un jour, découvrir «la fleur».

Quand elle s'imaginera l'avoir trouvée, elle entourera comme toujours son partenaire de mille attentions pour lui prouver que vraiment ils se complètent. Elle réalisera finalement qu'il ne s'agissait que d'un beau rêve, et elle s'arrangera bien adroitement pour que l'autre annonce la fin de la relation. Comme tous les signes d'air, elle est mal à l'aise dans ses sentiments et ses émotions ne sachant trop comment les exprimer. C'est peut-être ce qui explique sa tendance à manipuler les gens.

Chère Balance, j'aimerais vous dire que votre partenaire idéal s'assaisonne d'un peu de réalité. Ne lui inventez pas des rêves dont il ne saurait que faire, laissez-lui la latitude de vous en inventer quelques-uns !

Au travail, il est bien évident que la Balance préférera les occupations qui peuvent lui assurer une relation de «un à un», et elles sont nombreuses. Faites le tour de vos amis Balance ! Dans la plupart des cas, vous réaliserez qu'ils travaillent habituellement avec une seule personne, qu'il s'agisse d'une relation patron-employé ou d'une relation d'associés.

Cependant ... Voyez-vous, elle a appris à être plus démocratique en Vierge mais elle ne maîtrise pas encore ce processus. Ainsi, elle se dira collaboratrice et complémentaire de l'action commencée par l'autre. Mais ce que désire en fait notre Balance, c'est que l'autre s'ajuste à l'action qu'elle débute. Et c'est en travaillant quelque temps avec une Balance que je réalisai ce fait. Nous nous étions donc entendus sur le travail à effectuer mais sitôt qu'il fut commencé, cette Balance trouva mille et une raisons pour en modifier le déroulement. Subtilement, bien sûr.

— Je t'assure que ce serait beaucoup mieux ainsi. Si nous essayions, me disait-elle alors.

Notre Balance aime bien que son «collaborateur» agisse selon ses principes à elle. L'Ego est devenu beaucoup plus docile, mais il n'est pas encore absent. Il faut encore ajouter que tout comme sa soeur tauréenne, notre Balance est un rien paresseuse. Elle aura donc tendance à rechercher les solutions faciles, à tous les niveaux. Ainsi, chers amis, ne dites jamais à une Balance qui vous demanderait conseil, que les choses vont s'arranger, qu'elle ne devrait pas s'en faire. Elle vous prendra au mot et ne fera plus aucun effort et attendra que les événement viennent à elle.

Une amie Balance m'en donna un jour la preuve. On lui avait affirmé, alors qu'elle se cherchait un emploi, de ne pas s'en faire, qu'elle s'en trouverait un bien facilement grâce à ses diplômes. Heureuse, notre Balance cessa tout effort et attendit que cet emploi vienne la chercher chez elle. Elle attendit presque deux ans. On lui avait rendu un bien mauvais service.

Mais la Balance a un tel goût de l'harmonie qu'elle recherchera les situations tranquilles. Il faut quand même ajouter qu'elle devient beaucoup plus compétitive quand elle réalise qu'elle n'est pas obligée de plaire.

Appréciant toutes les formes d'art, on retrouvera de nombreux artistes parmi les natifs de ce signe. La Balance a encore l'habileté de dépister les talents des autres et d'en faire la promotion.

La Balance, donc, prend l'initiative d'inclure un autre qu'elle-même dans son univers personnel. C'est une première étape de collaboration et elle est quelquefois maladroite. Elle ne sait pas encore si elle veut surtout dominer sous une apparence de coopération ou si elle désire vraiment collaborer afin de créer éventuellement un tout plus vaste : social ou spirituel. Les deux sont possibles, tout dépend de l'évolution personnelle de l'individu.

La Balance a le pressentiment de quelque chose de plus grand qu'elle dont elle devrait faire partie : l'Humanité tout entière. Mais cette phase ne sera atteinte qu'en Verseau. En conséquence, spirituellement ou socialement, la Balance sera en quête de toute relation coopérative qui lui donnera la possibilité de se trouver elle-même.

Pour elle, cet objectif passe par le partenaire qu'elle choisira préférablement de force égale, sinon plus «fort» qu'elle. Quand on recherche l'excellence dans un sport par exemple, ne voudra-t-on pas s'exercer avec quelqu'un qui nous soit supérieur ? Et pour la Balance, cela peut signifier qu'elle veut rehausser ses relations d'un peu de réalisme. Elle a tout à y gagner, d'ailleurs.

Finalement, la Balance étant bien consciente de la nature bi-sexuée de l'Homme, voudra activer sa moitié latente à travers son partenaire. Elle cherche ainsi une unité complète et elle débute le cycle qui devrait permettre ce retour à l'Unité, c'est-à-dire à la non-manifestation puisque tout ce qui est manifesté est sujet à la dualité et aux oppositions.

TABLEAU SOMMAIRE DE LA BALANCE

Mot clé	Je suis
Principe	La rétroaction constante d'un partenaire permet au MOI de se définir et de s'actualiser.
Polarité	Positive
Croix	Action
Élément	Air
Maître	Vénus
Symbole	♎

QUALITÉS	DÉFAUTS
chaleureux	indécis
affectueux	indolent
charmant	manipulateur
sociable	influençable
objectif	superficiel
raffiné, artiste	recherche les plaisirs
délicat	paresseux
diplomate	
impartial	
a du tact	

LE SCORPION

LE SCORPION

21 OCTOBRE - 20 NOVEMBRE

LE SCORPION

«... Au milieu de l'escalier, la brûlure de l'air dans ses poumons devint si coupante qu'elle voulut s'arrêter. Un dernier élan la jeta malgré elle sur la terrasse, contre le parapet qui lui pressait maintenant le ventre. Elle haletait et tout se brouillait devant ses yeux. La course ne l'avait pas réchauffée, elle tremblait encore de tous ses membres. Mais l'air froid qu'elle avalait par saccades coula bientôt régulièrement en elle, une chaleur timide commença de naître au milieu des frissons. Ses yeux s'ouvrirent enfin sur les espaces de la nuit.

Aucun souffle, aucun bruit, sinon, parfois, le crépitement étouffé des pierres que le froid réduisait en sable, ne venait troubler la solitude et le silence qui entourait Janine. Au bout d'un instant, pourtant, il lui sembla qu'une sorte de giration pesante entraînait le ciel au-dessus d'elle. Dans les épaisseurs de la nuit sèche et froide, des milliers d'étoiles se formaient sans trêve et leurs glaçons étincelants, aussitôt détachés, commençaient de glisser insensiblement vers l'horizon. Janine ne pouvait s'arracher à la contemplation de ces feux à la dérive. Elle tournait avec eux et le même cheminement immobile la réunissait peu à peu à son être le plus profond, où le froid et le désir maintenant se combattaient. Devant elle, les étoiles tombaient, une à une, puis s'éteignaient parmi les pierres du désert, et à chaque fois Janine s'ouvrait un peu plus à la nuit. Elle respirait, elle oubliait le froid, le poids des êtres, la vie démente ou figée, la longue angoisse de vivre et de mourir. Après tant d'années où, fuyant devant la peur, elle avait couru follement, sans but, elle s'arrêtait enfin. En même temps, il lui semblait retrouver ses racines, la sève montait à nouveau dans son corps qui ne tremblait plus. Pressée de tout son ventre contre le parapet, tendue vers le ciel en mouvement, elle attendait seulement que son coeur encore bouleversé s'apaisât à son tour et que le silence se fît en elle. Les dernières étoiles des constellations laissèrent tomber leurs grappes un peu plus bas sur l'horizon du désert, et s'immobilisèrent. Alors, avec une douceur insupportable, l'eau de la nuit commença d'emplir Janine, submergea le froid, monta peu à peu du centre obscur de son être et déborda en flots ininterrompus jusqu'à sa bouche pleine de gémissements. L'instant d'après, le ciel entier s'étendait au-dessus d'elle, renversée sur la terre froide.»

Albert Camus (Scorpion),
L'exil et le Royaume, pp. 33-34
Extrait.

Nous pénétrons maintenant dans le royaume des Ombres, nous allons jusqu'aux profondeurs de l'être, nous arrivons en Scorpion. N'allez pas croire cependant, que je vous parlerai uniquement de la vie sexuelle du Scorpion. Bien sûr, c'est presque toujours la première chose qui vient à l'esprit quand on pense au Scorpion. Vous êtes-vous déjà demandé pourquoi ? Je vous mettrai simplement sur la voie en vous disant que le Scorpion cherche avant tout la fusion, l'absorption.

Nous avons vu que la Balance prenait conscience que chaque individu était composé d'une anima (âme) et d'un animus (esprit) et qu'elle désirait équilibrer ces forces en s'associant à un partenaire. Au cours de cette première étape de socialisation, ces deux forces se trouvaient réunies mais demeuraient cependant distinctes.

Le Scorpion, lui, veut non seulement équilibrer ces forces, les réunir, il veut les fusionner psychiquement. Comme le faisait d'ailleurs son opposé, le Taureau, quoique celui-ci recherchât surtout une fusion organique.

Revoyons un peu l'association vécue en Balance. Elle repose avant tout sur le principe du partage avec d'autres personnes et chaque partenaire maintient son but personnel et son identité propre. Les individus s'associent parce qu'ensemble il peuvent réaliser plus. Il y a complémentarité d'énergie. C'est en quelque sorte le

Yin plus le Yang afin d'obtenir un meilleur équilibre des forces. À la phase Balance, ces deux derniers symboles sont intellectualisés, fragmentés et divisés.

Arrivé à la phase Scorpion cependant, l'individu ne dira pas : «Ensemble, nous pouvons réaliser plus» ; mais plutôt : «Ensemble, nous sommes plus.» Cela veut dire pour le Scorpion fusion du but et de l'identité des partenaires. Si on sait de plus que le Scorpion est le deuxième signe d'eau, on ne sera pas surpris qu'il veuille à tout prix rendre l'union permanente par la relation émotive. Il voudra donc qu'il y ait échange des forces vitales qui prennent place dans l'acte sexuel.

C'est le Ying et le Yang, la force positive et la force négative, l'un coulant dans l'autre. En Scorpion, ces symboles ne sont plus intellectualisés, ils sont au contraire vécus psychiquement et affectivement par l'individu, de telle sorte qu'ils ne puissent plus être fragmentés ou divisés. Il y a donc automatiquement création d'un TOUT SOCIAL plus vaste.

Comme je le mentionnais plus haut, le Scorpion est un signe d'eau et comme tous les individus en signe d'eau, il vivra très fortement ses émotions. Sous la surface, ce sera souvent l'orage qui gronde et il faudra avoir bien connu un Scorpion pour arriver à le déceler. Voyez-vous, le Scorpion n'aime pas du tout, mais alors là, pas du tout, que sa vie privée soit connue. J'ai un ami Scorpion qui est quelquefois d'une réserve presque glaciale, surtout avec les gens qu'il ne connaît pas du tout. Nous nous fréquentions déjà depuis plusieurs années quand Paul me fit une première confidence sur sa vie passée. Il avait décidé que nous nous connaissions depuis assez longtemps. Quoique je ne saurais jurer qu'il m'ait tout dit.

Ainsi donc le Scorpion est réservé à tel point qu'il risque de garder beaucoup trop tout ce qu'il est à l'intérieur. Il se retient constamment afin que ne transparaisse de sa vie privée que ce qu'il veut bien qu'on en sache. Une amie Scorpion est même souvent allée travailler tout en étant très malade et personne, sauf les rares individus qui la connaissaient suffisamment, n'aurait pu le déceler. En conséquence, le Scorpion pourra souvent souffrir dans son corps de cette retenue qu'il s'impose.

Avant de poursuivre, j'aimerais souligner que nous pouvons retrouver deux[1] types de Scorpion : le scorpion-scorpion et le scorpion-phoenix. La plupart des natifs de ce signe correspondent au premier type quoiqu'ils possèdent en eux le potentiel du deuxième.

Quel que soit le type de Scorpion, cependant, c'est le signe qui contient le plus de possibilités évolutives. Cherchant avant tout la fusion, il aura donc plus qu'aucun autre signe cette aptitude à aller au fond des choses. Son maître est Pluton que la mythologie associe au dieu des Enfers. De telle façon même, que Raoul réussit toujours à découvrir ce qu'on voudrait lui cacher. Une de ses amies en fit ainsi les frais, à son grand regret. Il lui avait proposé une rencontre pour le lendemain qu'elle avait déclinée sous un quelconque prétexte. Comme il me le raconta par la suite, mon ami Scorpion trouva cette raison douteuse et m'affirma qu'il saurait le fond de cette affaire. Le lendemain, donc, il décida qu'un peu d'exercice lui ferait du bien et avant de retourner chez lui, il se rendit au centre sportif. Raisonnement inconscient ou non, je ne saurais vous le dire. Mais toujours est-il qu'il se retrouva face à face avec son amie. Elle n'était pas seule. Je puis vous assurer que cette histoire n'en resta pas là.

Peut-être, parce que le Scorpion est signe d'eau, que cela lui donne la possibilité de ressentir la nature relative des choses et d'être conscient des dimensions de l'Univers ? Pour le Scorpion, pas de frontières qui tiennent entre le Yin et le Yang, tous les opposés se confondent. Il annonce ainsi le Poissons, dernier signe d'eau, pour lequel non seulement les opposés sont confondus, mais se sont véritablement fondus dans le chaos universel.

---

1) Certains auteurs identifient trois types de Scorpion. Ce sont:
— le scorpion-scorpion
— le scorpion-aigle
— le scorpion-colombe (ou phoenix).
Notre premier type est une combinaison des deux premiers.

Pour notre Scorpion, donc, le bien porte en lui le germe du mal, son opposé ; la nuit annonce le jour ; la lumière, l'obscurité ; et la force, la faiblesse ...

Il ressent ces choses de façon innée et essaiera rarement d'expliquer ce phénomène puisqu'il sait d'avance qu'il sera incompris. De toute façon, il lui est difficile de trouver les mots pour le faire et il préférera se taire. Vous le trouverez alors secret, mystérieux, occulte. Il n'en a que faire d'ailleurs et ce parent Scorpion en est un exemple bien typique. Il n'aime pas du tout que la conversation s'oriente sur lui et il préférera se retirer, seul, pour lire ou s'occuper à tout autre chose. Qu'on lui parle de ce qu'il fait, aucun problème. Mais lui demander ce qu'il ressent, c'est se heurter à un mur. Il n'en est pas question.

Revenons à ce don de pénétration qui permet au Scorpion de saisir la nature relative des choses. Cette faculté lui assure également la possibilité de s'infiltrer à l'intérieur de la psyché de tout individu et d'en extirper non seulement les secrets mais encore toute l'énergie psychique afin de la faire sienne. Et c'est ici que se différencieront les deux types de Scorpion.

Je pourrais presque affirmer que ce Scorpion était généralement détesté. La première fois que je le rencontrai, je lui trouvai un visage d'ange. Mais j'allais vite changer d'avis. Il travaillait alors dans le domaine publicitaire et il m'avait été fortement recommandé. Je décidai donc de l'engager pour un projet bien précis. Les choses ne tardèrent pas à se gâter. Je l'avais, littéralement, toujours sur les talons et je me sentais souvent fatigué en sa présence. Je décidai donc de m'informer un peu plus et j'appris ainsi qu'il avait, entre autres choses, la «fâcheuse» habitude, quand il rencontrait un collègue, de lui extraire ses connaissances et de s'en servir à son profit, qu'il s'agisse de décrocher un emploi ou de se faire connaître à son avantage. Je ne le gardai pas à mon emploi et j'appris par la suite qu'il continuait toujours ce même petit jeu de vampirisation et, malheureusement, avec un certain succès.

Vous avez ici le premier type de Scorpion qui utilise son pouvoir de pénétration à des fins purement égoïstes, c'est-à-dire afin d'accumuler plus de puissance et présenter au monde extérieur une image excellente de lui-même. Quant à sa «victime», il est regrettable de dire qu'elle pourrait se retrouver sans identité personnelle et sans confiance en elle. Il s'agira évidemment ici de cas extrêmes. Nous sommes loin du «Ensemble nous sommes plus». Il serait plus juste de dire : «Ensemble, je suis plus».

Quant au deuxième type de Scorpion, il s'insinuera comme le premier dans la psyché de l'autre, mais pas pour les mêmes buts. Combien de ses amis cette native du Scorpion n'a-t-elle pas aidés ? Elle savait toujours avec justesse la nature de leurs problèmes et était même capable de leur en apporter la solution. Elle se trompait rarement et se dirigeait comme par magie à la source de leurs ennuis. Plusieurs de ceux qui l'ont écoutée, d'ailleurs, n'ont jamais eu à s'en repentir.

Ce Scorpion est alors capable de provoquer la libération de blocages psychologiques, c'est-à-dire de vieilles habitudes qui n'ont plus leur raison d'être. Cet autre pourra ainsi canaliser à nouveau l'énergie maintenant disponible vers quelque chose de nouveau et de meilleur.

Ainsi, un Scorpion, directeur d'une importante compagnie de voitures était sur le point de faire faillite. Il convoqua donc tous ses ingénieurs et leur demanda de se dépasser et d'essayer de concevoir le meilleur prototype possible. Sinon, il devra fermer les portes de l'entreprise et, conséquemment, les mettre à pied.

Chacun des ingénieurs s'acquitta si bien de son mandat qu'à partir des différents prototypes, la compagnie réussit à manufacturer la meilleure voiture de l'année.

Imaginons ici que ce Scorpion appartienne au premier type. Il attribuera alors ce succès à ses seules qualités de directeur. Il prendra également à son compte tous les mérites et la gloire découlant du fait que «son» prototype final ait permis à la compagnie de se sortir d'embarras. De plus, il présentera ainsi aux autres une image puissante de lui-même en tant que directeur.

Quant aux ingénieurs laissés pour compte, ils ne seront pas tellement contents. D'autant plus, qu'il les privera de leur identité puisqu'il ne reconnaît pas, face au public et aux actionnaires, leur exceptionnelle contribution.

Mais revenons à notre Scorpion. Celui-ci, au contraire, vanta la contribution de tous et chacun auprès des actionnaires. Non seulement attribua-t-il son succès à un travail d'équipe mais encore à une communion d'idées sans laquelle le prototype final n'aurait jamais vu le jour.

Inutile de dire que les actionnaires lui ont facilement reconnu ses qualités de leadership sans compter qu'il pourra éventuellement miser sur le support de ses ingénieurs. En effet, ceux-ci réalisent très bien que grâce à lui, ils ont pu fournir un effort maximum, c'est-à-dire se transcender, aller au-delà de ce qu'ils croyaient pouvoir accomplir.

Le Scorpion est aussi un signe fixe et, comme tous ceux-ci, il éprouve de la difficulté à s'adapter rapidement au changement. Comme son opposé Taureau il mettra du temps avant de se faire un ami. Il lui sera aussi difficile de changer d'emploi même si celui-ci ne le satisfait plus. Cette caractéristique cependant, le porte à terminer tout ce qu'il commence. Pour notre Scorpion, il est donc important de bien savoir dans quoi il s'aventure, car il ne dérogera pas facilement des projets qu'il entreprend.

Quand elle entreprit ce court voyage, un aller-retour plutôt, mon amie Sylvie savait très bien dans quoi elle s'embarquait. Elle savait même qu'il serait peut-être préférable qu'elle ne l'entreprenne pas. Mais, voyez-vous, elle l'avait décidé et rien ni personne n'aurait réussi à la faire changer d'idée. Ainsi qu'elle me le raconta, ce fut un voyage pénible.

— Tu aurais très bien pu l'éviter, lui dis-je.

— Bien sûr, me répondit-elle, mais je l'avais décidé et il fallait que je le fasse, quelles qu'en soient les conséquences.

Signe fixe, certainement, mais également de polarité négative, notre Scorpion ne choisit pas toujours les situations auxquelles il doit faire face. Cette même amie d'ailleurs, se retrouve parfois dans des situations abracadabrantes. D'une façon ou d'une autre, non seulement réussit-elle à s'en sortir, mais elle s'arrange également pour que les événements lui donnent raison.

Et voilà. L'énorme pouvoir de transformation du Scorpion lui permet de convertir ces situations en quelque chose de beaucoup plus grand, de beaucoup plus vaste.

Il faut encore ajouter que notre Scorpion dispose d'une vaste réserve d'énergie dont, comme je vous l'ai déjà mentionné, il peut se servir en bien comme en mal. Cette énergie dont il dispose presque à volonté amplifie également sa forte nature émotive. Il doit donc apprendre à la contrôler sinon, il risque fort de devenir un brin tyrannique.

— Écoute, me demanda une autre amie Scorpion, viens souper ce soir.

— Désolée, lui répondis-je, je dois travailler et décliner ton invitation.

Je me remis donc au travail sans plus y penser. Mais, attention. Quand Raymonde avait une idée en tête, elle n'était pas facile à faire changer d'avis. Elle avait décidé qu'elle voulait me voir. Elle rappela donc à 5 ou 6 reprises et de guerre lasse, elle céda finalement. Mais elle n'oublia pas. Je sais, bien sûr que cela lui aurait fait plaisir. Mais comme tous les Scorpion, elle devra en arriver à dominer ses émotions ce qui pourra alors la doter d'une forte volonté qu'elle mettra au service de sa croissance.

Quand on parle de signe d'eau, vous aurez remarqué qu'on mentionne rarement leur degré d'agressivité. En ce qui a trait au Scorpion, cependant, les traités d'astrologie souligneront sa nature combative. Il est bien entendu qu'il n'est pas un guerrier comme le Bélier. Il combattra s'il a l'impression qu'on lui retire quelque chose qu'il pense lui revenir de plein droit ou encore s'il est blessé ou insulté.

Il faut quand même noter que le Scorpion peut être agressif à froid, sans que rien ne le laisse deviner. Il pourra alors être dangereux car rien ne laissera prévoir l'attaque. Je ne vous en donnerai comme exemple que les tueurs à gage ou les espions professionnels. Quoique, souvent, il sortira simplement son dard. Ce sera bien suffisant puisque l'insulte parfois cruelle qu'il vous assénera alors vous fera reculer. Rappelez-vous que le Scorpion a le don d'aller au fond des choses. Mais rassurez-vous, il n'a pas l'insulte nécessairement plus prompte qu'un autre signe.

Rappelez-vous bien ce que vous avez découvert du Scorpion depuis le début de ce chapitre et vous réaliserez que vous serez mieux à même d'en comprendre maintenant la vie amoureuse. Ainsi, je vous ai mentionné que le Scorpion recherchait l'union, la fusion afin de créer un tout plus vaste. Mais à quoi pourrait-il bien s'unir ?

Chimiquement, vous savez qu'on peut combiner ensemble deux éléments de densité à peu près similaire : on peut, par exemple mélanger un liquide à un autre liquide, un gaz à un autre gaz. Il en est tout autrement cependant quand on veut incorporer une pierre à une autre pierre ou un corps humain à un autre corps humain, à moins que ...

Vous aurez compris bien sûr qu'il s'agit alors de l'accouplement physique d'une personne avec une autre. C'est donc la porte de sortie du Scorpion qui peut facilement s'unir à la psyché d'un autre individu. Sa soif de fusion, d'union s'étend ainsi à tous les domaines de son existence, parce qu'il veut se transcender, devenir «plus».

Et l'union par l'amour sexuel lui permet justement de se retrouver «Plus Être» ; il n'est pas simplement un à côté de l'autre, il se voit UN dans l'autre. Vous aimez un Scorpion ? Voyez-le vous entourer comme une liane pour vous pénétrer, pour aller se fusionner à votre essence.

— Je ne l'aime peut-être plus mais si tu savais comme c'est extraordinaire quand nous nous retrouvons ensemble, me racontait ce Scorpion. Il me semble que c'est une expérience que je ne pourrais vivre avec aucune autre personne. Alors, tu comprends, je préfère continuer à la voir. C'est une entente tellement profonde que je ne suis pas certain de pouvoir la vivre avec quelqu'un d'autre.

C'est la raison pour laquelle notre Scorpion n'oublie jamais les personnes avec lesquelles il a fait «l'amour». Comment le pourrait-il d'ailleurs ? Il y a eu fusion d'essence, consommation totale de lui-même et de l'autre. Il peut donc devenir rapidement jaloux si on convoite son partenaire. Il considérera alors qu'on veut lui subtiliser une partie de lui-même. Rien de moins, et cela n'est pas sans raison.

Ainsi en est-il de ce Scorpion dont je vous parlais plus haut. Il sait très bien, rationnellement, qu'en fait tout est fini avec son amie. Mais il a physiquement de la difficulté à accepter cette situation. Dernièrement, celle-ci rencontra quelqu'un d'autre et notre Scorpion entra dans une rage froide.

— Je comprends qu'elle sorte avec quelqu'un d'autre, me dit-il. Mais pas avec cette personne que je déteste. Comment, d'ailleurs, peut-elle penser me remplacer avec ce genre d'individu ? Si, au moins, je n'avais pas à les rencontrer tous les jours ! Tu vois, c'est plus fort que moi, si je ne me retenais pas, je pense bien que je l'étriperais, ce type.

On lui ravit une partie de lui-même et il ne peut le supporter. Non seulement le Scorpion veut-il une relation amoureuse intense, encore faut-il qu'elle soit dramatique. Sinon, il préférera s'en passer. Il faut pour lui qu'il y ait oubli total de soi, fusion. Et comme c'est un signe d'eau, cela correspond également à une «mort de l'Ego».

Le résultat possible d'une telle union sera la naissance d'un troisième être, un nouveau-né qui sera la synthèse parfaite des deux premiers.

Quant à son travail, notre Scorpion sera capable d'y mettre la même intensité. Vous vous souvenez que la Balance avait ce talent de réussir à faire collaborer des personnes aux dispositions différentes pour aboutir à un objectif commun. Notre Scorpion, lui, a le don de dépister les aptitudes des gens, de faire jaillir leurs talents. Si besoin est, il peut même transformer ces talents.

Elle ne cessait de me parler de son architecte de patron.

— Il est extraordinaire, me dit-elle et bien peu réussissent à l'égaler.

Ce qu'elle oublie de dire, cependant, c'est qu'elle est pour lui une collaboratrice hors pair. Elle voit à tout, s'occupe de tout. Et même, elle provoque souvent chez lui ces étincelles de génie qui en font vraiment un architecte hors classe. Je reste convaincu que, sans elle, il serait un bon architecte, mais qu'elle lui permet de se dépasser.

Elle consacre d'ailleurs presque tout son temps à son travail et le succès de l'entreprise leur revient à tous les deux. Il faut quand même ajouter qu'un Scorpion a très peu de patience face à l'oisiveté et à l'incompétence des autres. Au travail, il vous admirera si vous savez y consacrez autant d'heures que lui. Il n'exige d'ailleurs pas ce que lui-même ne fait pas. Comme il a une énergie presque sans limite, il pourra réussir à franchir des obstacles que bien d'autres considéreraient comme insurmontables.

Son talent à reconstruire à partir de rien et son goût marqué pour aller au fond des choses permettent de l'associer à tout genre de travail faisant appel à la recherche, à l'investigation, aux thérapies, à la psychologie et souvent au travail policier.

La Scorpion a donc, plus que tout autre, ce pouvoir de «mort et de renaissance». Il est alors capable d'aider l'autre à croître et à se transcender et surtout d'aller audelà de lui-même. Dans l'univers, tout ce qui est déterminant est à son tour déterminé, c'est la loi de cause à effet.

Socialement, ou spirituellement, le Scorpion sera ainsi un agent catalyseur, dévoilant l'autre à lui-même pour donner ce qu'il a de meilleur en même temps qu'il trouvera sa voie. Cela n'est pas une tâche facile pour notre Scorpion et il devra alors s'abandonner totalement, s'oublier, s'élever au-dessus des convoitises terrestres et unir enfin son essence, son désir le plus cher, à celle de l'Humanité tout entière. Ce Scorpion pourra alors affirmer «Ensemble, nous sommes plus.»

Symboliquement, le Scorpion meurt à son propre venin afin de renaître plus grand, de revivre phoenix[2]. Et à partir de ses propres cendres.

2)Au Moyen Âge, le phoenix était le symbole de la résurrection du Christ.

TABLEAU SOMMAIRE DU SCORPION

Mot clé	J'ai
Principe	L'union psychique du MOI à d'autres unités individuelles permet d'obtenir un organisme social plus vaste.
Polarité	Négative
Croix	Fixe
Élément	Eau
Maître	Pluton (Mars)
Symbole	♏

QUALITÉS	DÉFAUTS
pénétrant	entêté, opiniâtre
profond, intériorisé	sournois, dissimulé
investigateur, chercheur	jaloux
intense	possessif
occulte	secret, renfermé, obscur
loyal	curieux
volontaire	agressif, violent
psychique	mystérieux
persistant	tyrannique

LE SAGITTAIRE

LE SAGITTAIRE
21 NOVEMBRE - 20 DÉCEMBRE

LE SAGITTAIRE

NOTE DES AUTEURS :

Le conte «L'oeuf de Pâques», débutant en page 138, est tiré de *Contes et mécontes,* une oeuvre de Albert ZGARKA, Université Sir Georges William. Il nous a gracieusement permis de le reproduire ici.

Sur le plan de la durée, que représente une vie humaine à l'échelle du monde ? «À peine le temps d'un soupir.»

Les signes se suivent et se complètent, vous vous souvenez ? Ainsi, après le Scorpion réservé et difficilement capable d'exprimer ses émotions, nous allons pénétrer dans le monde exubérant du Sagittaire. Après s'être fusionné de l'intérieur, l'individu veut maintenant repousser les frontières et s'intégrer à l'univers. Notre Sagittaire a donc besoin d'espace.

Au cours de son existence, le Sagittaire essaiera de parvenir à une meilleure compréhension de cet Univers. Il voudra donc pénétrer le sens de l'Humain, des religions, des lois, des philosophies. Fondamentalement, il sera un idéaliste. En conséquence, ses oeuvres littéraires traiteront généralement de ces sujets. Et à bien les considérer d'ailleurs, on réalise que ceux-ci ont tous un point commun : ils examinent la cohésion et l'unification se fondant dans l'unité globale d'une large synthèse terrestre et céleste : l'Humain et le Divin, la matière et l'esprit.

Termes bien sérieux, me direz-vous, et qui semblent difficiles à aborder sans avoir recours à des notions abstraites. Fort heureusement, j'ai un ami Sagittaire écrivain qui réussit à traduire ces philosophies complexes en mots simples.

Sa recherche de l'inconnu et de la vérité l'amène à exploiter le principe des opposés vécu en Scorpion. Il fait ainsi appel au Yin et au Yang, au positif et au négatif, au masculin et au féminin, au vice et à la vertu. Et il favorise entre autres, le bien et le mal. Mais jugez-en plutôt car,

«Un chagrin d'enfant, ce n'est pas toujours un caprice d'enfant.» (Albert Zgarka)

«L'enfant écrasait son petit nez sur la vitrine du confiseur, ses boucles blondes pendaient sur son front, une mèche cachait un de ses yeux bleus et tristes. Il regardait, avide, passionné et gourmand, un magnifique oeuf énorme enrubanné d'une soie rose aux reflets d'arc-en-ciel.

Le commerçant ouvrit la porte de son magasin et s'adressa à l'enfant en des termes qu'une oreille chaste eût refusé d'entendre : «Sale cochon, va-t-en, tu salis ma vitre, tu baves sur ma glace...»

Le petit renifla et baissant la tête s'en alla vers sa pauvre demeure en pensant : «Je ne fais pas de mal, je regarde. Il est si beau cet oeuf, je suis sûr qu'il est fait de chocolat au lait et à l'intérieur il doit y avoir de gros poissons.»

Le gamin revint sur ses pas, arriva devant la boutique du confiseur, s'approcha et regarda de nouveau cet oeuf merveilleux. Il passait sa langue sur ses lèvres et ses yeux brillaient.

En le voyant le confiseur s'écria :

— Encore toi, que veux-tu ?
— Monsieur, il vaut cher le gros oeuf ?
— Très cher, je te l'ai déjà dit.
— Il est grand, est-ce du chocolat au lait ?
— Lait et noisettes.
— Ça doit être bon.
— Fiche-moi la paix et va-t-en. Avec ta bouche tu as mouillé ma glace.
— Excusez-moi monsieur, votre oeuf est si beau.
— Écoute, puisque tu aimes tant le chocolat, je vais te faire une proposition. Reviens après le lundi de Pâques et je te ferai cadeau de cet oeuf ; pour l'instant, j'en ai besoin pour garnir ma vitrine.
— Vous vous moquez de moi, monsieur, un oeuf comme ça doit coûter très cher.
— Ne t'occupe pas de cela, je te l'ai promis, tu l'auras.

L'enfant regarda le marchand et lui fit un grand sourire, très grand. Le confiseur referma sa porte et se dit : «Enfin, je me suis débarrassé de ce morveux.»

Le mardi suivant, l'enfant poussa de sa fragile main la porte de la confiserie. Il avança, timide et indécis. Le marchand, le voyant arriver, se souvint de sa promesse.

— Attends, lui dit-il, je vais retirer l'oeuf de la vitrine. Quand tu l'auras mangé, promets-moi de me rendre le ruban.

— Je vous le jure, monsieur.

L'homme tendit à l'enfant le splendide oeuf en lui disant :

— «Va-t-en maintenant et surtout rapporte-moi le ruban.»

L'enfant partit en courant serrant amoureusement l'oeuf sous son bras gauche.

Le commerçant, un rictus aux lèvres se félicita de la bonne blague qu'il venait de faire. L'oeuf était en carton pâte, recouvert d'une épaisse couche de peinture au chocolat...

— Jamais je n'oublierai cette ignoble plaisanterie, tournez-vous Léo et regardez sur la console.

— Oui, je vois un oeuf d'environ vingt-cinq à trente centimètres de hauteur. Qu'avez-vous fait du ruban, Paul ?

— Je l'ai rendu au confiseur, quinze ans après.

— Cela me rappelle quelque chose, Paul. Oui, oui, j'y suis maintenant : «On retrouva un homme, un épicier il me semble, étranglé. Il portait autour du cou un ruban rose qui donnait à sa figure la forme d'un oeuf de Pâques.»

— Ce fut mon premier acte de justicier, j'avais 25 ans.

— Le referiez-vous aujourd'hui ?

— Sans aucun doute, je n'ai jamais considéré mon acte comme répréhensible.

— Expliquez-vous ?

— Le confiseur avait tué chez un enfant de dix ans une notion, un rêve : la bonté. C'est le rêve qui fit justice, pas moi.»

C'est un peu dur? Mais souvenez-vous que ce n'est qu'un conte et il n'est certainement pas plus affreux que certains que l'on nous racontait dans notre jeunesse. Retenez surtout qu'il souligne bien la plus grande réalité du Sagittaire : l'esprit de justice.

D'un autre côté, le Scorpion éprouvait quelque difficulté à exprimer ce qu'il ressentait. Rien de tel pour notre Sagittaire positif et de feu. Ses sentiments ne le portent plus à percer le pourquoi des choses. Non ! Sa recherche s'effectue à un niveau abstrait et tend vers une synthèse toujours plus grande, toujours plus cohérente. Notre Sagittaire hérite d'une masse d'expériences et de principes vitaux qui lui ont été légués par les huit autres signes. Il veut y mettre de l'ordre.

Vous conviendrez que c'est tout un travail. Il essaiera donc d'établir des codes moraux, religieux, philosophiques, juridiques... Il considère d'ailleurs que tout individu devrait se munir d'un code d'éthique guidant son comportement et le poussant à agir consciencieusement. Il faut ajouter qu'en Sagittaire, le bien et le mal, de polarités opposées, coulent l'un dans l'autre : aucune frontière ne les sépare, ils se confondent, l'un portant en lui le germe de l'autre et vice versa.

Cet ami Sagittaire l'a bien compris dont le récit se termine en obligeant le lecteur à réfléchir. Il lui fait sentir l'importance de se munir de codes moraux, sinon, la loi universelle de causes à effets s'en chargerait. Ce Sagittaire a réussi à mettre en mots ce que notre Scorpion parvenait à comprendre profondément.

Le Sagittaire est un signe mutable dont le MOI est en continuelle expansion. Il cherche ses limites et veut les dépasser comme le jeune fils Sagittaire d'un ami. Il faut avoir le coeur solide pour suivre tous ses ébats. Pour lui, grimper sur une chaise, ou une table, ou une clôture, ne sont que des moyens de repousser les limites de son horizon. Bien sûr, il aura souvent quelques bosses et si vous lui demandez pourquoi il a fait cela, il vous répondra :

— Je voulais juste voir jusqu'où ça allait.

Pour la première fois également, l'individu Sagittaire franchit les frontières d'un cadre uniquement personnel et il voudra surtout s'attacher au bien-être de l'Humanité en général. Il veut permettre le développement de la conscience et il aura besoin de baser ses relations sur un ensemble de valeurs élargies. En communiquant ces valeurs aux autres, il se les confirmera alors à lui-même.

Signe mutable donc, notre Sagittaire possède l'habileté à créer des liens. Si nous revenons au Gémeaux, vous vous rappellerez qu'il voulait établir des liens entre l'individu et l'environnement. Le Sagittaire est son opposé et il voudra plutôt essayer d'unir l'Humain à des valeurs plus universelles et éternelles, absolues en soi. Et on verra plus tard que le Poissons se sert de sa sensibilité émotive pour percevoir les sensations sous-jacentes qui unissent la race humaine.

À la recherche constante de la vérité absolue cachée derrière toute cause, le Sagittaire comme tous les signes mutables, s'appuie sur les expériences du passé pour jeter les bases de ses activités. Si vous connaissez des Sagittaire, vous saurez qu'ils peuvent se remémorer des choses très anciennes.
«Dis donc, c'est bien en telle année cet incendie affreux aux raffineries de l'est ?
— Mais non, voyons, c'était en telle année. Je me rappelle bien parce que c'était l'année où tu as terminé tes études et tu avais décidé de prendre quelques mois de vacances. Tu n'étais d'ailleurs pas à la maison quand cela s'est produit.»

Le Sagittaire se rappelle et c'est à la lumière du souvenir de ses expériences qu'il élaborera ses théories philosophiques, religieuses ou sociales. Quant au Gémeaux ou à la Vierge, ils auront surtout la mémoire d'événements ou de faits spécifiques qui leur servent à codifier et à analyser des comportements.

Notre Scorpion, vous le savez maintenant, désirait «faire UN avec l'autre» alors que le Sagittaire veut «faire UN» avec la société. Il utilisera alors son talent à jongler avec des notions abstraites pour identifier des valeurs, morales ou autres. Et il choisira celles qui peuvent permettre à tous les maillons composant chaque élément de s'intégrer dans un TOUT organisé. Notre Sagittaire déterminera ces valeurs et les mettra en parallèle avec les valeurs sociales, culturelles ou religieuses déjà en place afin de les modifier ou d'y adapter les siennes. Contrairement au Verseau qui veut, lui, détruire les structures déjà existantes, le Sagittaire serait plutôt conservateur et essaiera d'améliorer ce qui existe déjà.

— Écoute, je pense qu'on devrait repartir à zéro et oublier tout le reste.

— Allons donc, me rétorqua ce Sagittaire. Voyons plutôt ce que nous avons déjà fait. Nous pourrons alors conserver le meilleur et partant de là, l'améliorer encore pour que le projet plaise au plus grand nombre possible. Ce projet était valable au départ, et nous allons simplement le modifier.

Il avait raison et notre projet d'association culturelle fut finalement un succès. Le Sagittaire ne veut pas découvrir de nouvelles valeurs ; il veut plutôt corriger celles qui existent déjà tout en déterminant celles qui iront chercher le plus d'adhésion. En conséquence, on pourrait presque dire que le Sagittaire sera un collectionneur d'expériences. Il en a besoin pour sa recherche de la vérité et il sera toujours en quête de nouvelles aventures qui l'aideront à comprendre les causes profondes derrière les événements.

Pour lui, voyager est une aventure et s'il le pouvait, je crois qu'il vivrait toujours, ou presque, dans ses valises. Allez-y, parlez voyage à un Sagittaire ! Ses yeux brilleront de plaisir et s'il en est capable, il essaiera déjà d'imaginer sous quels cieux il ira rouler sa bosse.

Cette chère Sagittaire, «Je m'ennuie», me dira-t-elle quelquefois. «J'ai certainement besoin de voir du pays.» Et sans plus attendre, elle se hâte déjà de préparer ses valises. Et quelle fièvre alors. «Tu ne peux t'imaginer tout ce qu'on peut apprendre ainsi.»

Et elle est heureuse, elle satisfait un besoin inné du Sagittaire d'étendre ses horizons. C'est donc un individu qu'on peut difficilement attacher, tout comme le Bélier d'ailleurs. Mais une fois son but atteint notre Sagittaire ne s'arrêtera pas nécessairement. Au contraire, il voudra le maintenir et essaiera alors d'aller toujours plus loin comme cette amie qu'un seul voyage ne saurait satisfaire. Par voie de conséquence, le Sagittaire pourra se retrouver constamment avec plusieurs projets sur les bras. Mes amis Sagittaire sont presque tous ainsi et peuvent souvent commencer plusieurs choses à la fois. Finalement, il y a surcharge et le Sagittaire s'épuise à vouloir terminer tout ce qu'il a commencé.

En fait, il veut perfectionner sa compréhension du monde et tout comme le Gémeaux qui ne désirait pas d'engagements, notre Sagittaire ne souhaitera pas non plus se retrouver dans des situations qui lui donneraient trop de responsabilités. Il veut être et rester libre de ses déplacements. Mais alors que le Gémeaux voulait la liberté pour procéder à ses mises en relation avec l'environnement, le Sagittaire en a besoin pour chercher la vérité, pour comprendre.

S'il s'attachait, comment aurait-il le loisir alors de visiter ces régions éloignées et découvrir des moeurs et coutumes différentes ? Il ne pourrait non plus se permettre de longues études sur les courants philosophiques ou culturels. Il ne pourrait trouver les liens entre les principes universels et leur application dans la vie de tous les jours. Pour un Sagittaire, ce genre d'entraves devient un non-sens surtout qu'il se sent déjà suffisamment frustré de ne pouvoir aller à la limite des possibilités qu'il soupçonne derrière ce qu'il voit. Notre Sagittaire est un centaure et ses quatre sabots le ramènent justement sur terre.

Il ne veut pas d'attaches et vous ne serez donc pas surpris si je vous dis que le Sagittaire est considéré comme le célibataire du zodiaque. Voyez-vous, il a trop peu de temps à consacrer à l'amour et il évitera alors les responsabilités amoureuses qui pourraient l'empêcher de s'occuper de sa quête de la vérité. Ne vous attendez pas non plus à ce que votre Sagittaire soit un romantique. Il l'est très peu et peut même être instable en amour. Bien sûr, comme tous les autres, il lui arrivera de se marier mais c'est un état qui ne le satisfera pas. Il n'y est pas à l'aise.

«Oui, je suis encore marié, m'avouait un Sagittaire d'un certain âge. Mais vois-tu, je crois que si je m'étais marié maintenant où les moeurs sont plus libres, je ne le serais pas demeuré longtemps. Et si tu savais combien de fois j'ai eu le goût de tout laisser en plan et de partir. Mais à l'époque, c'était très mal vu. Ce n'est pas que je n'aime pas ma femme, nous sommes maintenant deux bons amis mais j'aurais eu tellement de choses à faire.»

Et il ajouta : «Je crois quand même que j'ai réussi à compenser un peu. Je dévore tous les livres qui me tombent sous la main.»

Cet ami a d'ailleurs une bibliothèque impressionnante.

Notre Sagittaire préférera ainsi la compagnie d'amis dynamiques et l'amour sexuel pour lui sera avant tout l'amitié. Il n'a pas nécessairement besoin de liens émotifs puissants. De plus, toujours à la recherche de nouveautés, il ne sera pas rare de le voir en compagnie d'étrangers ou de personnes à l'esprit large qui peuvent lui apporter beaucoup dans son désir de repousser sans cesse plus loin les limites de ce qu'il voit ou expérimente.

Un Don Juan? hélas non ! Mais le Sagittaire est un bon vivant et vous ne vous ennuierez pas en sa compagnie. Il est naturellement gai et jovial et son rire puissant ne passe pas inaperçu. Le film était drôle et toute la salle se tordait de rire. Mais une scène plus cocasse que les autres provoqua cette fois chez Nadine une cascade d'éclats de rire. Il retentissait de tellement de gaieté et de plaisir que les gens autour d'elle se prirent à rire en oubliant le film qui se déroulait devant eux.

Le Sagittaire mord à la vie et comme le Bélier, ses paroles seront souvent brusques. Vous savez bien qu'il n'a pas de temps à perdre. Et parce qu'il est direct, il n'aura pas ce sens de la vie sociale qu'a la Balance. Les gentillesses de salon ne sont guère pour lui et il aurait plutôt tendance à considérer que ce sont autant d'obstacles à une communication authentique. Il dit ce qu'il a à dire et il croit que les autres devraient en faire autant. Il est ouvert, c'est certain, mais il aura souvent beaucoup de difficulté à comprendre que tout le monde n'est pas comme lui. Pour cette raison, on le trouvera souvent brutal dans ses échanges.

Son but premier n'est-il pas d'arriver à la vérité ? Il aura ainsi souvent tendance à vouloir toujours plus que ce qu'il a. Pour le Sagittaire, le présent n'est que le chemin qui mène au futur. La vie est un jeu qui l'amène toujours vers de nouvelles aventures et il sera attiré par toutes les professions où il peut exercer sa liberté d'action.

Il a besoin d'espace et s'attaquera à des projets de grande envergure. Il ne sait pas toujours où il s'en va mais il a confiance en lui et il mènera habituellement ses projets à terme. Son esprit n'est jamais en repos et il arrivera souvent que ses projets se multiplient. Dans un groupe de travail, ce n'est cependant pas celui qui parlera d'abord. Je participais à une rencontre mensuelle de travail et dans le groupe se trouvait un Sagittaire. La réunion allait bon train et Charles n'avait encore rien dit. Je l'observais attentivement et je réalisai qu'il écoutait avec beaucoup d'attention tout ce qui se disait. Puis, considérant qu'il était prêt, il prit la parole.

Ne faites surtout pas comme moi cette première fois, ne vous contentez pas de l'écouter, prenez des notes. Notre Sagittaire ne peut reprendre deux fois son exposé de la même façon et c'est dommage. C'est la première fois qu'il est le meilleur. Il a créé une fois, pourquoi recommencerait-il ? Vous n'aviez qu'à écouter et prendre des notes.

De la même façon, combien de fois ne me suis-je pas mordu les doigts pour avoir oublié de noter les extraordinaires recettes culinaires inventées par cette amie Sagittaire. C'est ainsi que j'essayais vainement de me rappeler comment elle nous avait apprêté cette pièce de veau. En désespoir de cause, je l'appelai et lui demandai de me donner sa recette.

— Oh, tu sais, je ne m'en rappelle plus, me répondit-elle. Je ne la prépare jamais deux fois de la même façon.

Pour son travail, ajoutons encore qu'il ne sera pas rare de le voir également exercer un sport professionnellement, ou même par plaisir, puisque celui-ci lui permet de s'extérioriser.

Revenons au Bélier. Vous vous rappelerez qu'il émerge de l'inconscient collectif indifférencié et qu'il éprouve la crainte d'être obligé d'y retourner. C'est le premier signe de feu. Deuxième signe de feu, le Lion veut affirmer son MOI et prouver qu'il existe bien en tant que spécimen unique.

Le Sagittaire est le troisième signe de feu et il doit permettre à son MOI de se transcender. La manifestation de sa volonté doit dépasser l'expression purement personnelle de sa personnalité. Être animal, il doit essayer de devenir être spirituel ou tout au moins social. Le Sagittaire y arrivera en basant ses relations sur un étalage de valeurs élargies, d'où ce besoin d'aller au-delà de ses limites. Il devra donc participer ou s'assimiler à la vie collective de sa société sinon son MOI risque de se perdre dans cette recherche d'expansion et d'éclater telle la grenouille de la fable.

Sa mission spirituelle alors sera d'établir une civilisation totalement intégrée par la découverte des principes universels cachés dans les faits. Peut-être même qu'un jour lointain, il s'acquittera si bien de sa mission qu'il réussira à libérer l'humanité des cycles de renaissance.

Quand il aura enfin répondu à la question qu'il se pose sans cesse : Qu'y a-t-il après ?

TABLEAU SOMMAIRE DU SAGITTAIRE

Mot clé	Je m'informe
Principe	Par ses diverses fonctions, le mental abstrait permet au MOI de baser ses relations sur un schéma de valeurs élargies.
Polarité	Positive
Croix	Mutable
Élément	Feu
Maître	Jupiter
Symbole	♐

QUALITÉS	DÉFAUTS
expansif	exagéré, excessif
juste, magnanime	instable
inspiré	propagandiste
honnête, franc	trop franc
direct, ouvert	superficiel
sincère, honnête, loyal	exubérant
jovial, enthousiaste	débordant
démonstratif	gourmand

LE CAPRICORNE

LE CAPRICORNE
21 DÉCEMBRE - 20 JANVIER

LE CAPRICORNE

Ramassé dans la lumière restreinte de la pièce, il travaillait encore, méthodique et farouche. Il continuerait ainsi presque jusqu'à l'aube sans ressentir ni le froid de la nuit, ni la fatigue de son corps. Il s'accorderait alors quelques brèves heures de repos puis se remettrait à la tâche, avec patience.

Son crayon courait sur le papier à petits coups pressés. Il avait quand même hâte d'en finir. Ce projet, commencé depuis plusieurs années, couronnerait sa carrière. On s'était moqué de lui, bien sûr, au tout début, mais cela ne l'avait jamais affecté outre mesure. Il savait où il allait et ce n'étaient pas quelques rires qui allaient l'arrêter. Il était simplement devenu encore plus taciturne et morose. Mais qu'importait. Demain enfin, ce projet grandiose verrait le jour et les rieurs en seraient pour leur frais.

Il se rappelait quand C. lui avait parlé de ce projet. Il en avait tout d'abord trouvé l'idée un peu farfelue, puis, finalement convaincu, il avait accepté de travailler avec C. Il avait alors endossé la responsabilité de l'élément pratique et structural et C. s'était chargé du reste de l'opération. Et maintenant, le gouvernement leur achetait leur projet à prix d'or. C'était normal. Il en connaissait la valeur et n'en avait jamais douté et serait maintenant payé de toutes ces années de travail. Il était satisfait.

Il écrivit le dernier mot. Un frisson le saisit, violent, et sa tête, puis son corps s'affaissèrent lourdement comme pour embrasser encore l'oeuvre de sa vie.

«L'immense peine, la misère des hommes et des femmes qu'il a vus ... Mao a voulu les prendre sur ses épaules.»
(Ambassade de Chine)

On pourrait dire du Capricorne qu'il est une terre inconnue, l'union de l'enfant et de l'adulte. Les promesses du printemps sont cachées sous la terre gelée qui semble immuable dans son dépouillement. Elle se concentre. C'est ainsi que le Capricorne s'est habillé de glace laissant à peine filtrer quelques émotions recouvertes de froideur. Et pourtant, que de tempêtes aussi bouleversantes que silencieuses ravagent cette âme secrète.

Signe d'action de polarité négative et également signe de terre, le Capricorne est marqué par le temps, la durée dont il subit profondément les restrictions. Il se dévoile avec lenteur, apportant des joies graves et quelque fois difficiles d'accès. Le Capricorne est le signe qui indique la voie de la sagesse. Notre Capricorne, donc, ne semble jamais se presser. Il a le temps, avec toutes ses contraintes c'est vrai, mais qui lui laisse également une concentration de pensée rarement atteinte par les autres signes du zodiaque. En Capricorne, voyez-vous, l'Homme social atteint son point de maturité.

Ainsi, même si le Sagittaire réussissait à concevoir une société totalement intégrée, il resterait encore au Capricorne la tâche de l'établir, de la structurer. C'est en effet le rôle des signes Yin que de donner substance à l'énergie Yang. Le Capricorne, donc, sera préoccupé par la mise en place de structures d'organisation pratiques. Et ces structures seront tout aussi bien sociales, industrielles, commerciales, religieuses que familiales.

Contrairement au Sagittaire, les théories et les principes universels l'intéresseront bien peu. Il voudra surtout leur trouver une application pratique.

Si on considère le Cancer, son opposé, on sait qu'il voulait avant tout l'unité de la famille, du noyau familial. Le Capricorne, lui, représente ce tout plus vaste qu'on appelle «l'État», qui est le regroupement de personnes ou de groupes différenciés par leur race, leur croyance, leur culture ou leur appartenance politique. Ces personnes ou ces groupes sont appelés à vivre ensemble et le Capricorne mettra sur pied les structures qui rendront cette vie commune plus facile.

Rappelez-vous les expressions suivantes qui désignent souvent par exemple les États-Unis «Uncle Sam», ou l'U.R.S.S. «Mère Russie» ou encore l'Allemagne «Fatherland», le pays de nos pères. Le Capricorne représente l'image du père.

En tant que tel, nul doute que notre Capricorne verrait d'un très bon oeil une coopération libre entre ces groupes ou personnes à partir de principes universellement acceptés de tous. Mais il sait pertinemment que ce jour-là n'est pas encore arrivé. Ainsi donc, quel que soit le domaine où il se retrouve, il est conscient qu'il faut beaucoup plus que la bonne volonté ou la bonne foi des gens.

Il est dur, me direz-vous. Mais comment faire autrement quand on veut élaborer des structures concrètes qui seront les lois et les règlements que se donnera toute institution ou toute nation pour vivre autrement que dans l'anarchie et le chaos ?

N'allez pas penser qu'il décidera de toutes ces lois et règlements seul. Il pourra laisser les autres les définir et même participera démocratiquement à leur élaboration tenant ainsi compte des besoins et des attentes de la majorité. Symboliquement, il s'agit là des théories conçues par le Sagittaire. Mais ces lois, une fois définies et acceptées, il s'y conformera et veillera à ce que les autres s'y conforment également. Ce qui lui a valu d'être souvent surnommé «la police du zodiaque».

On croirait qu'il n'a pas de coeur ! Cependant, il en a un. Mais il est capable de tenir compte des besoins de la majorité avant de se préoccuper des besoins d'un individu. Sa notion de progrès, d'ailleurs, se base sur les valeurs traditionnelles et les ressources héritées des autres. Il peut prendre, et il le fait, l'ordre établi et le transposer intact à une autre étape de son évolution.

Et j'ai pour vous un exemple tout frais sorti de notre histoire contemporaine. Qui de vous ne se rappelle la longue marche du Capricorne Mao Tsé-Toung dans les montagnes du Yunan ? À travers vents et marées, il a conduit 90 000 personnes qui, ensemble, ont transporté les documents et les livres de son régime tout au long de 10 000 km de son voyage. Quand il descendit des montagnes, il conquit la plus grande nation de la terre.

Vous conviendrez que pour tenir compte avant tout des besoins d'une majorité, il n'appréciera pas donner l'image d'une personne tendre puisqu'il se refuse à prendre parti pour l'un au détriment de tous. Et s'il se laisse attendrir par l'un, comment pourra-t-il alors appliquer ses règlements à tous ? Non, la loi c'est la loi !

Le frère d'un ami était directeur de l'application des programmes d'une entreprise bien connue, et Capricorne. Souvent, cet ami me racontait combien son frère acceptait difficilement qu'on ne respecte pas un accord, une clause ou une entente précise. Ainsi, par exemple, quand il s'agissait d'ordonnances gouvernementales, il était incapable d'admettre que toutes les entreprises ne les respectassent pas. Ce manque de respect des ententes devenait pour lui de l'anarchie. Et bien entendu, il ne comprenait pas non plus comment il pouvait y avoir cohérence sociale dans l'anarchie.

Tout ça c'est bien beau, penserez-vous, mais ce Capricorne frère, ami, soeur, ou camarade que je rencontre tous les jours, qui est-il ? Je vous dirai tout d'abord qu'il est naturel, c'est-à-dire qu'il ne feint pas. Il sera habituellement simple et dépouillé et les ruses ne l'intéresseront pas sauf quand il s'agira de gagner le pouvoir, mais nous y reviendrons plus tard.

Regardez vivre votre Capricorne. La malice et les hypocrisies de salon le mettent hors de lui et il ne répondra que si on l'interroge. Le gel le marque et il semble refuser de s'extérioriser. Ainsi, pour réussir à tirer un soupçon d'émotion d'un ami Capricorne, devais-je déployer des trésors de subtilité. Et encore, ses plus fortes émotions me parvenaient bien souvent enrobées de réserve et de silence.

Car notre Capricorne, en cela semblable au Scorpion, a une sainte horreur de parler de lui-même. Il entend préserver sa vie privée et se construit donc un rempart bien solide à l'abri des sujets superficiels et futiles. Il a trop de choses à penser, il a trop de choses à faire. D'ailleurs ne semble-t-il pas continuellement préoccupé, ce Capricorne ? Non pas qu'il soit insensible. Au contraire. Mais voyez-vous, il vit avec ses émotions comme en pays étranger, s'y sentant mal à l'aise et craignant bien souvent qu'elles ne soient que duperie.

Comme Simon qui jouait ainsi à cache-cache avec ses sentiments se donnant une apparence de calme et de sérénité qu'il était souvent bien loin de ressentir. Je dois dire cependant que cette maîtrise l'a aidé à surmonter bien des crises et lui a alors donné une certaine supériorité sur les émotifs. Il pouvait sembler dur alors mais cela se traduisait en une étonnante résistance pour faire face aux coups du sort. Et à une époque de sa vie, les coups du sort pleuvaient sur ce Capricorne presque sans interruption.

C'est d'ailleurs durant ces années que j'ai compris que cette dureté était dirigée bien plus contre lui-même que contre les autres. Rappelez-vous, il a peur de ses émotions et comme il traversait une période difficile, il n'aurait pas voulu que les autres en prennent avantage. En conséquence, il n'exprimait pas ses émotions. Pourtant, si vous réussissiez à surmonter les barrières qu'il s'impose, vous seriez surpris de constater les trésors de tendresse et d'amour qu'il cache soigneusement sous sa froideur apparente.

Comme pour mon ami Capricorne d'ailleurs: j'avais parfois l'impression qu'il demandait sans cesse à sa tête la permission de se laisser aller quelquefois à aimer.

Cher Capricorne. Il agit avec son corps comme avec ses émotions et quand il est malade, plus que tout autre, il doit se reposer. Vous comprenez, il perçoit avec indifférence les tensions de la vie quotidienne et il doit donc, à intervalles réguliers, faire le bilan de sa santé ou sinon, il risque un jour d'être gravement atteint.

Et de toute façon, notre Capricorne doit avoir une bonne santé car il a une très forte capacité de travail et c'est surtout ce qui lui assurera le succès. Il bénéficie rarement de la chance pure. L'éventail des professions qu'il peut exercer cependant, est très large parce qu'il peut presque tout faire. D'un autre côté, il sera préférable qu'il ne choisisse pas un métier exigeant un contact permanent avec le public. Il irait à l'encontre de sa nature propre.

Il doit également éviter le travail en équipe, il n'en a pas l'esprit, et il préfère d'ailleurs travailler seul. Il veut assumer seul toutes les responsabilités se sentant seul capable de les mener à bien. Il sait qu'il n'abandonnera jamais et il peut ainsi espérer le succès car il a les qualités de sang-froid qui lui permettent de faire des projets sans se laisser influencer. Ce que votre Capricorne a décidé de faire, il le réalisera quelles que soient les circonstances. Et ne vous y trompez pas, un Capricorne finit toujours par obtenir ce qu'il veut. Il est ambitieux et visant le sommet, il ne négligera rien pour l'atteindre.

Avec deux amis, dont l'un Capricorne, nous décidons un jour de mettre sur pied une petite entreprise. Fort heureusement pour nous, nous pouvions travailler autant que notre Capricorne de copain mais il sut très tôt s'approprier toute l'organisation. Il établit donc nos objectifs, réalisables et pratiques bien entendu, et ne laissa rien au hasard. Bourreau de travail, il nous menait au doigt et à la baguette et finalement, nous avons décidé d'y mettre le holà.

— Nous sommes associés, lui avons-nous alors déclaré, nous sommes bien prêts à travailler mais cesse de nous pousser continuellement. Il en resta surpris. Il n'avait pas réalisé la façon dont il se comportait.

Il faut dire qu'une fois les objectifs établis et bien élaborés, notre Capricorne ne mesurera pas le temps ni les efforts pour mener un projet à sa fin. Il est alors comme le cheval avec ses oeillères, il ne voit que le but à atteindre et oublie tout le reste. C'est vrai qu'il est capable d'assumer de lourdes responsabilités et que c'est un individu de confiance. Mais, encore une fois, il est tellement préoccupé par ce qu'il a à faire qu'on aura alors tendance à le voir comme un ours grognon. Il sourit difficilement et dans ces circonstances, le sourire s'éclipse tout à fait.

Ce soir-là, je rencontrais une amie. Habituellement calme, quelle ne fut pas ma surprise de la voir absolument hors d'elle-même.

— Si tu savais, me dit-elle. Je suis offusquée. Chaque matin quand j'arrive au travail, je salue ma patronne, et la même chose le soir en partant. Et peux-tu imaginer ? Elle ne me répond même pas. À croire qu'elle ne me voit pas. Tu es astrologue, continua-t-elle dans un même souffle, et tu pourrais peut-être me donner un truc ?

J'appris finalement que la chef de département pour laquelle travaille mon amie était une femme Capricorne. Je lui répondis donc :

— Tu veux qu'elle te salue ? Essaie ceci. Dis-lui bonjour, comme tu le fais actuellement mais ajoute cependant que cela ne va pas du tout dans le département. Je te garantis qu'elle s'arrêtera net, te regardera directement dans les yeux, sans sourire et te demandera : «Ça ne va pas ?» Tu pourras alors répondre que tout va bien mais que tu voulais simplement attirer son attention. Tu répéteras ton bonjour et je veux simplement espérer qu'elle te répondra avec un grand sourire.

Voyez-vous, le Capricorne a besoin de s'assurer en tout temps que les éléments qui constituent le tout social dont il a la responsabilité sont en bon état de fonctionnement et que toutes les parties s'intègrent bien les unes aux autres. C'est tellement important pour un Capricorne que lorsqu'il est au travail, toute son attention sera absorbée dans cette direction. Il n'aura aucune difficulté à s'associer aux gens afin de déterminer les règles à suivre. Une fois celles-ci écrites et approuvées démocratiquement, il devient impitoyable. Il fera respecter à tout prix les structures édifiées en toute liberté.

— Tu les as acceptées, dira-t-il, maintenant, respecte-les.

Ne vous surprenez donc pas s'il donne l'impression d'être froid et insensible. Mais voyons, me direz-vous, tout le monde sait que le Capricorne est «près de ses sous ?» Oui et non. Laissez-moi plutôt vous expliquer. Bien sûr, tout comme le Taureau, premier signe de terre, il est intéressé par l'argent. Pas pour les mêmes raisons cependant. Le Taureau en a besoin pour matérialiser, donner forme à ses idées. L'argent peut donc devenir un but en soi. Quant au Cancer, premier signe d'eau, il voudra amasser de l'argent pour subvenir aux besoins de sa famille.

Notre Capricorne, troisième signe de terre, n'est pas intéressé par l'argent comme tel mais bien plutôt par le pouvoir qu'il peut lui procurer. Pour lui, l'argent devient ainsi un moyen qu'il met au service de l'atteinte d'un but : le pouvoir. Celui-ci lui donnera alors un certain contrôle sur les autres et il pourra ainsi obliger, dans une certaine mesure, les éléments rivaux à s'unir dans un but commun. Il faut quand même noter qu'il n'est pas toujours conscient que c'est pour cette raison qu'il recherche l'argent.

Ainsi donc, il sera beaucoup plus à l'aise quand il pourra diriger hors de tout contexte personnel. Il préférera alors que la relation s'établisse au-delà d'un certain écran, comme son bureau, un titre ou un certain niveau matériel qui lui donne à ce moment-là l'avantage, le pouvoir et/ou le contrôle.

Travailleur acharné, le Capricorne connaît le prix du travail et il aura tendance à être économe : il n'aime pas gaspiller. Et c'est de là que peut lui venir une certaine réputation d'avarice. Oui, il veut gagner de l'argent. Mais ce sera surtout pour avoir l'assurance que ni lui ni les siens ne manqueront de rien, en même temps que cela lui garantit, encore une fois, une certaine forme de pouvoir. Il faut bien remarquer également que l'argent que peut posséder le Capricorne lui vient toujours de son travail. Il n'est pas nécessairement de ceux qui guettent l'occasion. Non, il travaille et il compte.

Il pourra ainsi accumuler une fortune à force de travail mais souvent, il ne saura plus alors comment en jouir. Il mourra cependant satisfait, il aura travaillé et gagné ce qu'il voulait.

Dans quel genre de travail retrouverez-vous votre Capricorne ? Partout où il peut organiser, partout où il peut démontrer qu'il maîtrise les lois d'une société donnée ou d'un métier spécifique. Bien entendu, vous le retrouverez fréquemment mêlé au monde des affaires ou à la tête de commerces, d'entreprises et même chef d'État.

Le Sagittaire était le philosophe de l'ordre social, et notre Capricorne en est l'homme d'affaires.

Je sens que vous vous inquiétez. Comment ce Capricorne obstiné et froid, travailleur et persévérant se comporte-t-il devant l'amour ? Il est juste de dire que le Capricorne n'a aucune tendance à être amoureux. Par contre, il aura beaucoup d'associés. Des amis ? Très peu, et il aura mis leur loyauté à l'épreuve tout au long des années.

Ainsi, je pourrais compter sur les doigts d'une seule main les amis de mon Capricorne. Il a tellement de difficulté à accorder sa confiance qu'il invente des tests qu'il fait passer à ceux dont il pense qu'ils pourraient devenir ses amis. C'est que, voyez-vous, quand notre Capricorne décide d'accorder sa confiance et son affection, c'est pour toujours. Il n'a donc pas envie de se tromper.

D'un autre côté, quand il s'agira du cercle de ceux qu'il aime, famille ou amis intimes, il sera très généreux et se sacrifiera souvent. Il assumera même tous les problèmes et tous les soucis, se dépouillant alors plutôt que de voir souffrir les siens. Notre Capricorne peut aimer et à la passion même.

Cependant, l'amour est par essence une émotion et nous savons maintenant qu'il n'aime pas dévoiler les siennes. En fait, il pourra souvent aimer sans émotion et c'est pourquoi il peut très bien s'accommoder de vivre seul. Heureusement pour lui, les expériences sexuelles peuvent l'amener à modifier son point de vue. Alors, dans cet élan qui le transforme, il sera prêt à se laisser berner uniquement parce qu'il a perdu ses défenses et il aimera d'une façon absolue. De façon générale cependant, le Capricorne se mariera par amour, et pour le prestige. Comme dans tous les autres domaines de sa vie, il sera pragmatique et capable d'examiner la future union sous tous les angles, coeur excepté. Il a besoin de se sentir en confiance.

— Tu sais, je trouve qu'elle est un peu jeune, me laissait entendre Jules. Et pourtant, ils n'avaient que cinq années de différence. Mais pour lui, la jeunesse peut être un signe de folie et il en a tellement peur. Cet ami se décida finalement à ce mariage, après maintes analyses, et encore aujourd'hui, il dira quelquefois :

— Elle est un peu jeune, tu sais.

En fait, notre Capricorne tient peu à l'amour, il le craindrait même, mais il apprécie beaucoup le mariage. Si votre ami ou votre mari (ou amie ou épouse) est Capricorne, ne vous attendez pas à ce qu'il s'extériorise. Il pourra conserver avec vous un masque de froideur. Mais souvent, il sera simplement trop ému pour vous dire ce qu'il ressent et il se retranchera alors à l'abri derrière sa carapace.

Quand il le veut, cependant, le Capricorne sait être tellement agréable. Je crois quand même que le meilleur moyen de découvrir un Capricorne, au niveau de ses sentiments bien entendu, c'est de le mettre hors de lui. Il devient alors plus facile d'apprivoiser cet animal étrange, mi-chèvre, mi-poisson.

Ainsi, le Capricorne est représenté par un animal mi-bouc et mi-dauphin symbolisant sa nature ambivalente. Il peut aussi bien être attiré vers les abîmes de l'eau cancérienne (son opposé), que vers les hauteurs, la cime des montagnes. Il a en lui l'énergie d'évolution et d'involution[1], la possibilité d'aller toujours plus haut ou de revenir à son point de départ. Il doit donc s'attacher à travailler sa polarité positive parce que ce signe, tout comme le Scorpion d'ailleurs, peut être l'avenue du pouvoir et de la maîtrise des autres. S'il n'y fait pas attention, il peut alors devenir très destructeur, comme Hitler qui avait la Lune en Capricorne.

Certains auteurs mentionnent cependant que l'on ne connaît que les énergies les plus denses du Capricorne.

---

1) INVOLUTION : Modification régressive d'un organe ou d'un organisme le ramenant à son état primitif.

Ils suggèrent même que le cycle des réincarnations humaines devrait se terminer en Capricorne puisque ce signe occupe la position la plus haute du zodiaque, la plus illuminée. À la limite, c'est là qu'il devrait y avoir unité d'états galactiques complexes, compréhension de la «structure» parfaite. Ce serait la porte des cieux.

Mais nous n'en sommes pas encore là et l'Homme doit encore franchir l'étape Verseau afin de briser les structures imparfaites érigées en Capricorne. Au-delà des structures que celui-ci a voulu ériger, l'Homme doit essayer de comprendre mieux, d'unir mieux. Les étapes Verseau et Poissons l'y aideront jusqu'à ce que, poursuivant son cheminement cyclique, il devienne enfin lui-même un Être cosmique.

L'individu de la phase Capricorne a maintenant atteint le plein gouvernement de lui-même. Le «MOI» est parvenu à la maturité sociale, il est totalement intégré à la société. Notre Capricorne sait ce qu'il est, ce qu'il veut et ce qu'il peut réaliser dans l'ensemble social plus vaste découvert dans la phase Sagittaire.

Mais la vraie nature du besoin de créer du Capricorne, c'est la promesse d'un nouveau cycle de vie jaillissant du matériel des cycles précédents.

TABLEAU SOMMAIRE DU CAPRICORNE

Mot clé	Je maintiens
Principe	La recherche du MOI à travers la destinée s'accomplit par la réalisation d'une unité sociale structurée.
Polarité	Négative
Croix	Action
Élément	Terre
Maître	Saturne
Symbole	♑

QUALITÉS	DÉFAUTS
prudent	avare
patient	exigeant
esprit de sacrifice	despotique
organisateur	ambitieux
industrieux	recherche du prestige
compréhension spirituelle profonde	opportuniste
	impitoyable
endurant	entêté
réservé	morose, aigri
précis	
discret	

LE VERSEAU

LE VERSEAU
21 JANVIER - 20 FÉVRIER

LE VERSEAU

Rappelle-toi Barbara
Il pleuvait sans cesse sur Brest ce jour-là
Et tu marchais souriante
Épanouie ravie ruisselante
Sous la pluie
Rappelle-toi Barbara
Il pleuvait sans cesse sur Brest
Et je t'ai croisée rue de Siam
Tu souriais
Et moi je souriais de même
Rappelle-toi Barbara
Toi que je ne connaissais pas
Toi qui ne me connaissais pas
Rappelle-toi
Rappelle-toi quand même ce jour-là
N'oublie pas
Un homme sous un porche s'abritait
Et il a crié ton nom
Barbara
Et tu as couru vers lui sous la pluie
Ruisselante ravie épanouie
Et tu t'es jetée dans ses bras
Rappelle-toi cela Barbara
Et ne m'en veux pas si je te tutoie
Je dis tu à tous ceux que j'aime
Même si je ne les ai vus qu'une seule fois
Je dis tu à tous ceux qui s'aiment
Même si je ne les connais pas
Rappelle-toi Barbara

N'oublie pas
Cette pluie sage et heureuse
Sur ton visage heureux
Sur cette ville heureuse
Cette pluie sur la mer
Sur l'arsenal
Sur le bateau d'Ouessant
Oh Barbara
Quelle connerie la guerre
Qu'es-tu devenue maintenant
Sous cette pluie de fer
De feu d'acier de sang
Et celui qui te serrait dans ses bras
Amoureusement
Est-il mort disparu ou bien encore vivant
Oh Barbara
Il pleut sans cesse sur Brest
Comme il pleuvait avant
Mais ce n'est plus pareil et tout est abîmé
C'est une pluie de deuil terrible et désolée
Ce n'est même plus l'orage
De fer d'acier de sang
Tout simplement des nuages
Qui crèvent comme des chiens
Des chiens qui disparaissent
Au fil de l'eau sur Brest
Et vont pourrir au loin
Au loin très loin de Brest
Dont il ne reste rien.

Jacques Prévert - Verseau
Barbara

Les jours s'allongent déjà et, franchissant la onzième porte du zodiaque, nous allons maintenant pénétrer dans le monde aérien et raffiné du Verseau. Original et même parfois excentrique, ce Verseau ne cesse de nous étonner. Il y prend d'ailleurs plaisir comme si toute forme de routine ou d'enracinement lui pesait. Dernier signe d'air, il sent déjà l'appel du printemps et essaie d'y répondre : Il a hâte de se défaire du carcan de l'hiver.

Signe d'air, fixe et positif, le Verseau a besoin de sentir une appartenance spontanée à une culture sociale. Il suit le Capricorne dont on sait qu'il avait structuré les idéaux sociaux du Sagittaire pour y vivre à l'aise. Notre Verseau se retrouve donc héritier d'un système organisé qu'il n'accepte pas nécessairement.

Mais revenons au Gémeaux, premier signe d'air. Celui-ci voulait établir un système logique dans lequel il se reconnaîtrait. Quant à la Balance, deuxième signe d'air, elle cherchait avant tout à rendre harmonieuses ses relations avec l'autre. Le Verseau, dernier signe d'air, veut enfin harmoniser les structures sociales du Capricorne qu'il considère comme trop rigides. Ainsi, il accepte et même cherche l'intégration sociale, mais il veut le faire à sa façon.

Individualiste jusqu'à la moelle, il accepte difficilement la contrainte et l'organisation rigoureuse du Capricorne le heurte et le pousse à la révolte. Ainsi, les hommes ou femmes Verseau auront souvent des idées révolutionnaires qu'il s'agisse de transformer la mode ou un système social. Regardez par exemple tous les groupes de musique modernes dont les membres rivalisent d'accoutrements tous plus osés ou bigarrés les uns que les autres. Quant au Verseau innovateur de système social, qui ne se rappelle Abraham Lincoln dont les idéaux de fraternité humaine pour l'égalité des Blancs et des Noirs provoqua la guerre de Sécession américaine.

Oui, la fraternité humaine est l'affaire du Verseau. C'est facile à comprendre d'ailleurs quand on sait que le Verseau représente le signe de l'Homme et qu'il est l'un des seuls chez lequel on ne retrouve aucune caractéristique animale. Il est souvent nommé le «Porteur d'eau» l'associant ainsi au signe du Poissons qu'il précède et qu'il annonce.

Retournons chez le Lion, son opposé. Celui-ci se considére comme le centre de son univers alors que le Verseau se cherche dans l'ensemble du mécanisme social. Il passe donc du particulier au général et il éprouve le besoin profond de remettre en cause les structures sociales capricorniennes qu'il juge trop restreintes.

On pourrait presque dire que le Verseau doit développer son «Moi» social contrairement au Lion qui était à la recherche de son «Moi» personnel. La recherche de ce moi social l'amène donc à participer à des groupes ou associations et c'est ainsi que vous pourrez souvent remarquer chez le Verseau une tendance à parler, parler, parler ... presque sans arrêt. Il a besoin du groupe pour expliquer et comme il pense toujours, il lui arrive d'élaborer sans cesse des plans nouveaux qu'il n'a pas souvent le temps de mettre à exécution.

Comme tous les signes d'air, sa pensée est rapide et il peut devenir impatient face aux limitations de l'entourage, avide de balayer les systèmes existants qui mettent un frein à l'établissement de ses théories. Et c'est pourquoi il peut être le type même du révolutionnaire. Quoique pour rendre efficace le fruit de ses recherches, le Verseau doit être capable de trouver le moyen d'observer sa pensée sans s'y identifier. Et cela n'est pas chose facile.

Parce qu'alors, il veut essayer d'imposer ses idées aux autres puisque sa contribution à l'humanité est sociale et qu'il a un besoin vital de l'exprimer. Voyez-vous, ce n'est pas un bâtisseur comme le Capricorne qui construisait en fonction d'un mieux-être de la société. On se rappellera que les six premiers signes s'exprimaient face à un devenir personnel. Puis venait l'apprentissage social jusqu'à la mise en place en Capricorne, de structures logiques dans lesquelles tous pourraient fonctionner. On aurait pu croire qu'on en arrivait ainsi au sommet d'une certaine échelle évolutive. Mais il n'en est rien puisque le zodiaque comporte douze signes ou douze phases.

Alors voilà ! Le système conçu par le Capricorne ne s'avérant pas aussi idéal qu'on l'aurait voulu, il faut donc aller au-delà et le transformer et c'est le rôle du Verseau. C'est pourquoi, insoumis, il pourra facilement détruire tout système dans lequel il ne se trouve pas à sa place. D'un autre côté, il peut aussi décider d'intégrer ce système, de le digérer pour le transposer enfin à un niveau social qu'il pense idéal.

Ne sommes-nous pas, d'ailleurs, déjà dans cette Ère du Verseau ? Il faut quand même dire que les premières manifestations de cet ordre social nouveau ont fortement été teintées par le Poissons, l'ordre social que nous quittons. Qui ne se rappelle les symboles de «Paix et Amour» de cette révolution culturelle ? C'était la grande recherche de l'harmonie universelle et la révolte contre toute forme de guerre. À cette époque, la musique électronique fit également son apparition. Elle était composée pour atteindre les masses qu'elle unissait dans un sentiment de fraternité universelle, trait bien caractéristique du Verseau.

Et mon copain ou ma copine Verseau dans tout cela ? Voyez-vous, votre Verseau s'impliquera avec des gens, des groupes, des associations et même sa famille s'il la considère comme un groupe social. Il ne peut autrement exprimer sa nature Verseau. Comme cet ami qui me disait :

— Non, je ne peux te rencontrer ce soir, je rencontre les membres de mon club.

Et puis, vous savez bien que votre Verseau veut que tous soient sur un pied d'égalité, que tous soient traités de la même façon, qu'il n'y ait pas de différence raciale. À ce sujet, pensons à une grande révolution de l'histoire, la révolution française dont je dirais qu'elle était bien sous le signe du Verseau. «Liberté, Égalité, Fraternité» n'est-ce pas le mot d'ordre de notre Verseau ? Le déroulement en fut malheureux puisque ses dirigeants devinrent rapidement trop fanatiques. Comme un Verseau peut l'être. Il doit comprendre que tous ne sont pas créés égaux et que la société a autant besoin du médecin que du plombier.

De toute façon, ne vous y trompez pas. Quand le groupe a accepté les idées de notre Verseau, et qu'il a été accepté par le groupe, il aime bien régner comme son opposé Lion en fait. À ce sujet, il me vient en mémoire une entrevue accordée par le maire de Montréal, monsieur Jean Drapeau qui est Verseau. Il définissait ainsi son parti politique et cette définition traduit bien l'importance et le respect que le Verseau donne au travail d'équipe et à la mise en commun des idéaux, que lui décide.

«J'ai sûrement donné au Parti Civique un style et une structure qui permettent de recruter des joueurs d'équipe. Je définis d'ailleurs un parti comme un groupe d'hommes ou de femmes qui pensent de la même façon sur les mêmes questions et qui veulent atteindre la même fin par les mêmes moyens. Et à l'intérieur de cela, il y a beaucoup, beaucoup de place pour des échanges de vue.»[1]

Vous voyez, le Verseau s'exprime par et en fonction d'un groupe. Bien sûr, votre Verseau se sentira plus à l'aise dans un groupe partageant ses idées. Et c'est ce genre de groupe qu'il choisira d'abord. Ce signe peut également produire des individus radicaux aux idées innovatrices. Le Verseau alors, ne fera peut-être pas parti d'un groupe donné mais il aura quand même besoin de s'identifier à un courant de pensée quelconque, que ce soit le Collège des médecins ou son cercle de bridge. Comme le Lion, son opposé, il aime briller mais, encore une fois, au sein du groupe auquel il a décidé d'appartenir ou auquel il s'identifie.

---

1) La Presse, Montréal 11 mars 1984.

Notre Verseau est également un signe fixe et comme tout signe fixe, une fois son opinion arrêtée, il n'en change pas aisément. Ne vous attendez pas cependant à retrouver l'entêtement du Taureau. Ce grand-papa de 72 ans me le fit bien comprendre. C'était un Verseau.

— Vois-tu, je trouve difficile de m'adapter à toutes les choses qui se passent maintenant mais je pense que, contrairement à ceux de ma génération, je peux le faire. Prends simplement le drame de la Passion qu'on met en scène dans les églises aujourd'hui. Tu comprends, je trouve cela un peu délicat. Mais si c'est fait avec tact, je l'admettrai bien.

Il avait décidé lui-même de changer d'opinion. Si le Verseau ne le veut pas, ne discutez pas avec lui. Il vous écoutera, bien sûr, et vous laissera même l'impression que vous l'avez convaincu. Il continuera ensuite à agir à sa guise, comme si vous ne lui aviez jamais parlé. Voyez-vous, le Verseau se sent mal à l'aise dans une relation de couple, une relation de un à un à moins qu'il n'y soit question d'issues sociales. Il aura plus de facilités en amitié qu'en amour. L'amour pour notre Verseau est une question d'esprit.

Non pas qu'il soit insensible. Bien au contraire. Mais c'est un cérébral que le seul côté physique ne satisfait pas. Il sera donc capable de se faire une idée raisonnée et logique de son partenaire ce qui lui donne souvent un air froid. Si vous l'intéressez cependant, il se fera une idée très rapidement. Et s'il a décidé qu'il vous aimait, ce sera tout de suite.

Comme Clémence. Dès qu'elle était émue par quelqu'un, elle s'imaginait déjà qu'elle vivait le grand amour. Après quelque temps, la passion diminuait et sentant venir l'échec, pour elle le manque d'intérêt, elle devenait froide et irascible envers son partenaire qui n'y comprenait plus rien. Et elle recommençait toujours croyant qu'elle trouverait finalement ce grand amour qui durerait toute la vie. Tant qu'elle n'aura pas rencontré l'être qui lui convient, cette native du Verseau pourra se promener d'un flirt à l'autre.

Pour un Verseau, donc, l'être idéal est celui qui l'étonnera, qui pourra lui apprendre autant qu'il aimera lui enseigner. Et il sera fidèle, tant que son intérêt se maintiendra.

Il a quand même toujours le goût de l'aventure et du renouveau et si son entourage ou son conjoint ne lui procure plus cette atmosphère de découverte constante, notre Verseau s'en ira ailleurs vers de nouveaux horizons qui le satisferont plus. Il s'enflamme vite, notre Verseau et peut s'enthousiasmer tout aussi rapidement pour autre chose. Et d'ailleurs, sa relation sera davantage basée sur l'intérêt et l'admiration que sur la passion.

Signe socialement orienté, il aura également beaucoup de difficultés à vivre avec les autres et vivre avec lui, même tous les jours, n'est pas chose facile. S'il s'agit cependant d'enseigner aux analphabètes ou de s'occuper d'un groupe de jeunes adolescents, aucun problème. Il est altruiste et généreux alors et vous pouvez être assuré que son action sera efficace. Mais dans la vie quotidienne, c'est une autre histoire. Il pourra être froid avec vous, n'accordant que très peu d'attention aux gens qui l'entourent. Il ne manifestera pas non plus sa tendresse et c'est un défaut qu'on peut lui reprocher. Quant à ceux qui essaient de rendre sa vie quotidienne plus aisée, il lui arrivera trop souvent de n'en pas tenir compte.

Non, il n'est pas facile à vivre. C'est ainsi qu'une amie me racontait l'enfer que lui faisait subir son Verseau de patron. Travaillant ensemble depuis quelques années déjà, elle facilite sa vie de travail dans les moindres détails. Il lui en sera reconnaissant, me direz-vous ? Eh bien, non ! Avec elle, il sera très fréquemment froid et irascible. Il lui reprochera tout ce qui l'oblige à penser à ces détails mesquins qui l'empêchent de s'occuper d'autres choses plus importantes pour lui. Mais, si d'aventure, il doit collaborer avec un employé d'un bureau voisin, il sera tout charme et son attitude changera complètement. C'est qu'alors il sort de la routine dont il a horreur, et peut s'occuper de quelqu'un d'autre à qui il peut apprendre quelque chose. Il se retrouve dans son élément.

Notre Verseau préférera donc l'amitié à l'amour. En fait, ses amitiés comme ses amours seront définitives et totales, ce qui ne veut pas dire qu'il sera toujours à vos côtés. Rappelez-vous, c'est un signe fixe et une fois son idée faite, il en change difficilement. Regardez les amis de votre Verseau ! Ils sont loin d'être banals et ce seront souvent des individus qui l'étonneront, qui piqueront sa curiosité et qui le transporteront hors des conventions qu'il peut à peine supporter.

Il se retrouvera ainsi souvent associé aux grands de ce monde parce que, encore une fois, ce sont pour lui des gens hors du commun. Oui, il peut être fidèle, il se rappelle ses amis. Mais il a toujours besoin de variété, d'inédit. Alors, si vous avez un ami Verseau, ne devenez pas routinier, il pourrait être des années sans vous voir.

Ce besoin de variété, d'ailleurs, se retrouve dans plusieurs domaines de sa vie. Ainsi, j'avais un ami Verseau qui semblait accumuler les passe-temps. Il y a plusieurs années, il m'annonça donc qu'il s'achetait une station de ski. Il y consacra beaucoup d'efforts et y engloutit beaucoup d'argent. Finalement, quelques années plus tard:

— Tu sais, me dit-il, je pense que je vais vendre la station. Je n'ai plus grand-chose à apprendre de ce côté.

Quel sera son prochain passe-temps, me demandai-je ? Ce fut le sport. Il s'acheta alors une variété d'équipements pour trois ou quatre sports différents. Il prit des cours, s'entraîna jusqu'au jour où il décida qu'il en savait assez. Son nouveau hobby, pour l'instant, est la pêche. J'avais oublié de vous dire, toutes ces activités se déroulaient parallèlement à son travail.

Quant à l'argent, précisément, on ne peut pas dire que le Verseau soit bon financier. C'est un sujet qui le concerne très peu et auquel il ne s'intéresse guère. Il sera un mauvais gestionnaire et si on le trompe à ce sujet, il sera plus souvent ennuyé que furieux. Il s'était ainsi acheté un magnifique tableau qu'il avait payé une forte somme. Quelques jours plus tard, il apprend qu'il aurait pu se le procurer pour beaucoup moins cher. Croyez-moi, cet ami n'en fit pas un drame. Il jura simplement que jamais plus il ne mettrait les pieds dans cette boutique. Pour lui, l'affaire était classée. Il n'avait pas de temps à perdre avec ce genre de peccadilles.

Dans ce même ordre d'idées, c'est celui également qui ne laissera pas un service passer inaperçu, en dehors du cercle de sa vie quotidienne bien entendu. Il saura le souligner par un cadeau. Et comme il discute rarement le prix des choses, vous pourriez avoir une très agréable surprise. Pour lui, non seulement l'argent n'a pas d'odeur mais encore, il n'a pas de goût.

Mais il est quand même un domaine dans lequel notre Verseau pourrait s'avérer excellent gestionnaire. Vous l'aurez sans doute deviné, ce sera s'il s'agit de gérer les biens d'une collectivité ou, encore mieux, les fonds d'une société qui oeuvre mondialement. À ce moment, par passion pour l'oeuvre sociale, il voudra réussir dans la finance. Par amour de l'oeuvre sociale, et ce serait peut-être la seule passion du Verseau.

Loyal à une cause ou à une idée, notre Verseau sera heureux dans une activité où il peut aider les autres et encore plus s'il peut le faire au sein d'un organisme auquel il s'est identifié. Son temps alors ne sera pas compté et il consacrera à cette activité le plus clair de son temps au détriment de sa vie privée. Ne vous plaignez pas si vous le voyez trop peu, il pourrait vous répondre que vous devez comprendre puisque c'est le genre d'occupation qui le rend heureux.

Signe d'air fortement influencé par Uranus qui représente les ondes, notre Verseau sera également heureux dans des domaines comme la radio ou la télévision, spécialiste en électricité ou encore sociologue ou réformateur en tous genres. Mais indépendamment de tout cela, ou peut-être à cause de tout cela, si notre Verseau réussit à trouver sa place sociale et donc se trouver lui-même, il sera heureux.

Le Capricorne représentait l'éveil de la conscience humaine et le Verseau pourrait représenter l'éveil de la conscience sociale.

En ce sens, les énergies du Verseau peuvent se manifester à trois niveaux différents qui peuvent également se subdiviser en trois orientations différentes, selon que la conscience de l'individu est tournée vers le passé, le présent ou l'avenir.

Si la conscience de notre Verseau se tourne vers le passé, il édifiera des créations qui tiendront plutôt compte des réalisations qui lui arrivent depuis le Bélier. Ainsi, la base de ses créations s'appuiera surtout sur ce qu'il conservera de meilleur de l'idée originelle. En d'autres mots, il construira uniquement à partir de «l'amande, dépouillée de sa coquille».

D'un autre côté, il peut être socialement orienté vers le présent. Le Verseau essaiera alors de comprendre les erreurs et les fautes du passé collectif, pesant et soupesant le pour et le contre, mettant tout en parallèle en une profonde ré-évaluation du tout. Il s'impliquera alors socialement en fonction de cette mise en parallèle, essayant d'équilibrer ce qui a déjà été fait.

Il peut enfin être socialement axé vers le futur et il commencera alors à ressentir profondément ce besoin de renaître à la Source, à l'océan universel. Pour le Verseau alors, le passé et le présent n'existent plus et il peut en résulter une sorte d'intuition prophétique du futur, d'images et d'idées tellement avant-gardistes qu'elles ne pourront trouver leur manifestation qu'en Bélier, au cycle suivant. Le Verseau est alors vraiment une sorte de prophète puisqu'il lui est donné de percevoir le contour structurel de choses à venir, leur rayonnement prénatal en quelque sorte.

Et cette intuition prophétique implante alors dans l'esprit de son créateur et de la société en général, le germe d'un développement futur de la race. La conscience se tourne ainsi de plus en plus vers ce qu'elle devine comme étant une source neuve et renouvelée de possibilités créatrices.

Dans les trois cas et comme toujours quand il s'agit du Verseau, le groupe ou les partenaires seront indispensables pour partager les idées et les faire fructifier. Et dans les trois cas, le Verseau réalisera qu'il ne peut rien faire s'il ne laisse tomber les vieilles structures. C'est ainsi qu'il se retrouve, lui, individu social, parce qu'il doit dissoudre les structures imparfaites du Capricorne, alors qu'en Poissons, l'individu devra dissoudre ses propres structures.

Le Verseau est le signe des innovations, des nouvelles idées et des inventions. Mais il doit apprendre à équilibrer ses désirs et ses visions avec la réalité quotidienne et surtout comprendre que tous les hommes ne sont pas égaux. Il doit comprendre que les changements sociaux sont plus lents à s'établir. Et surtout, par son identification à un groupe, quel qu'il soit, il doit apprendre qu'il est vraiment lui-même, un avec les autres.

Cette connaissance de lui-même, «filtrée» par son expérience sociale, lui permettra enfin de devenir «un» avec tous les hommes, ses frères.

TABLEAU SOMMAIRE DU VERSEAU

Mot clé	J'exprime
Principe	Le Moi se définit par l'intégration de la personnalité à un mouvement ou à un groupe social.
Polarité	Positive
Croix	Fixe
Élément	Air
Maître	Uranus
Symbole	♒

QUALITÉS	DÉFAUTS
énergique, décidé	parle trop et sans réfléchir
indépendant	fanatique
sociable	impose ses idées aux autres
loyal à une cause ou une idée	pas de sens pratique
se bat pour le groupe	froid
intuitif	sans sympathie humaine
esprit alerte	imprévisible
peut aimer tous	également inconstant
enthousiaste	excentrique
créatif	irascible
	désordonné

LE POISSONS

LE POISSONS

21 FÉVRIER - 20 MARS

LES POISSONS

«Une pauvre femme avait deux enfants. La plus jeune devait tous les jours se rendre dans la forêt pour ramasser du bois. Un jour, où elle avait dû aller beaucoup plus loin qu'à l'accoutumée pour en trouver, elle rencontra un jeune enfant qui l'aida à ramasser le bois et à le transporter jusque chez elle. Mais à peine furent-ils arrivés que l'étrange enfant disparut. L'enfant conta sa rencontre à sa mère mais celle-ci ne voulut tout d'abord pas la croire. Finalement, la petite fille rapporta une rose à la maison et raconta à sa mère que l'enfant lui avait donné cette rose en lui disant qu'il reviendrait quand elle serait complètement épanouie. La mère mit donc la rose dans un vase. Et un matin, la petite fille ne s'étant pas levée, sa mère alla à sa chambre et la trouva morte mais avec un air de grand bonheur sur son visage.

Et ce même matin, la rose s'était complètement épanouie.

(*La rose,* Les frères Grimm)

Chers Poissons incompris et mal connus. Si vous en connaissez quelques-uns d'ailleurs, vous les aimerez bien ou vous les détesterez franchement. Ils sont tellement compliqués, penserez-vous. On ne sait jamais ce qu'ils pensent. Oui, je sais. Comme l'eau, la mer qui les symbolise, leur vie surtout émotive, se déroule sous la surface et, signe double, ils sont continuellement ballottés d'un extrême à l'autre.

Ce n'est pas que le Poissons soit compliqué. Il résume simplement en lui les autres signes du zodiaque puisque c'est la saison finale, la dernière étape.

Ce signe d'eau, mutable et à énergie négative marque donc la fin d'un cycle zodiacal. Ainsi, le Poissons contemple d'un regard égal le passé et le futur et par le fait même, exprime le principe de la dualité par excellence. Il se retrouve alors à cheval sur le présent, entre le connu et l'inconnu, et contemple le début et la fin, le fini et l'infini, l'esprit et la matière. Ce signe est la dernière porte du zodiaque ou ouvre sur les eaux de l'infini.

Symboliquement, l'individu Poissons a vécu toutes les phases du zodiaque. Je dirais même qu'il est en quelque sorte la somme totale de tous les genres d'expériences humaines vécues depuis le Bélier et qu'il garde mémoire de toutes ces expériences, les résumant du positif au négatif.

N'avez-vous pas d'ailleurs souvent entendu dire que les Poissons avaient une morale élastique ? Et comment pourrait-il en être autrement ? Ils ont en eux toute l'expérience du zodiaque et pour eux, toute expérience, quelle qu'elle soit, n'est pas de prime abord bonne ou mauvaise. Et c'est ce que notre Poissons devra apprendre avant toute chose, le discernement.

Il est créé hors de l'inconscient collectif[1] en Bélier et il y retourne. Il a atteint le stade final de son évolution. Le «Moi», né, développé, complété, socialisé, universalisé dans les autres signes cherche maintenant à se transcender. Il veut s'élever au-dessus de la condition humaine, s'identifier à la psyché collective, se soumettre à une force supérieure, retourner à la Source de toutes les sources. Il n'est donc pas étonnant que certains perçoivent le Poissons, et qu'il se perçoive lui-même, comme nageant entre deux eaux, comme ne faisant pas partie de ce monde. Ainsi, toujours à la recherche de l'Ailleurs, le Poissons aura-t-il tendance à fuir les réalités quotidiennes pour se retrancher dans son monde de rêves et de fantaisies.

Et je dois dire que cette manie de mon amie Poissons me contrarie quelquefois. Voyez-vous, elle a horreur des mauvaises nouvelles et s'imagine qu'en refusant de les voir elles passeront à côté d'elle. Et, chaque fois qu'elle me racontait quelque chose de malheureux qui lui était arrivée, elle terminait en disant : «Tu vois, ce n'était pas si grave que cela.»

Quand je vous ai parlé du Verseau, je vous ai dit qu'il avait besoin de briser les structures pour jeter les bases d'une société plus harmonieuse et ainsi y trouver sa place. Le Poissons, quant à lui, a besoin de se retrouver et il essaie de briser ses propres structures, ses propres chaînes. En fait, il se cherche toujours et parce qu'il possède en lui tous les aspects de l'expérience humaine, il en connaît aussi la nature temporaire.

---

1) INCONSCIENT COLLECTIF : Dans l'inconscient, tout figure pour ainsi dire côte à côte, chaque chose indifférenciée se fondant dans le tout.

Il n'y a nulle discrimination absolue, nulle séparation même à l'égard du conscient. L'inconscient est pour la conscience la matrice où celle-ci puise ses possibilités de combinaisons toujours renouvelées.

Inconsciemment donc, il sent que pour devenir un individu réellement nouveau, il doit renoncer à tout ce qui est solide, à tout ce qui le sécurise, à tout ce qui est formé. Il doit se «dissoudre» et essayer de vivre dans l'informé. Vous admettrez que c'est tout un programme pour un être de chair et d'os. Il en est d'ailleurs tellement conscient qu'il refusera souvent toute forme de contraintes. Essayez seulement d'attacher un Poissons et vous m'en donnerez des nouvelles.

Retournons maintenant à la Vierge qui est son opposée. Celle-ci devait apprendre à dompter son «ego» qui s'était donné libre cours en Lion. Au contraire en Poissons, l'«ego» est en principe dissous puisqu'il est uni à l'inconscient collectif. Il sera donc plus difficile pour un Poissons de savoir qui il est car il peut pénétrer la mémoire collective de la race humaine et se fabriquer presque de toute pièce une personnalité sur mesure. Combien de fois d'ailleurs un Poissons ne dira-t-il pas : «C'est tellement difficile de savoir qui je suis !»

Cette faculté de retour à la mémoire collective cependant, lui donne un pouvoir d'empathie[1] extraordinaire tout en le rendant très perméable aux vibrations des autres. C'est pourquoi un air de mystère semble l'entourer et on a souvent l'impression qu'il en sait plus que ce qu'il veut bien dire. Ce qui est d'ailleurs vrai.

Je devais donc rencontrer Lucie afin de lui confier un problème dont je n'arrivais pas à trouver la solution. Je commençai à lui raconter ce qui me tracassait quand elle m'arrêta doucement en disant : «Oui, je sais !» Je ne sais par quel processus elle y était arrivée, mais elle savait effectivement et elle finit de me raconter ce que j'allais lui dire. Je ne lui en avais pas parlé auparavant. J'avais l'impression qu'elle lisait en moi. En fait, non seulement elle savait mais elle me donna une réponse à laquelle je n'avais pas pensé et qui s'avéra exacte par la suite.

Simple raisonnement logique, me direz-vous. Eh bien, non ! Un Poissons ne sait que faire de raisonne-

---

1) EMPATHIE : Faculté de s'identifier à quelqu'un et de ressentir ce que cette personne ressent.

ments logiques se fiant toujours plus à son inspiration qu'à ceux-ci. Par exemple, essayez d'entamer une discussion logique avec un Poissons, comme je l'ai moi-même souvent fait. Dès qu'il soulèvera un argument quelconque, demandez-lui de s'expliquer. S'il est honnête, il vous avouera qu'il ne sait comment il en est arrivé à cette conclusion. Mais il continuera en vous affirmant qu'il a raison. Il n'est pas logique, il sent et il sait.

À cet égard, l'intelligence précise de la Vierge s'oppose à l'intelligence cosmique du Poissons. C'est d'ailleurs pourquoi, pour un Poissons, il y a peu de doctrines qui tiennent. Rappelez-vous, il est à cheval sur le présent englobant en même temps le passé et le futur. Il se glissera donc avec facilité à travers tout système rationnel comme l'eau à travers une passoire. Il ne peut supporter d'être limité, arrêté par quoi que ce soit. Il vit dans un univers sans limite et il n'acceptera jamais rien qui puisse nuire à sa liberté de mouvement ou de pensée. À moins qu'il ne choisisse lui-même ses barrières.

J'en fis l'expérience il y a quelques années. Max, un ami Poissons, avait une importante décision à prendre et il décida de m'en parler. Je lui fis bien plusieurs suggestions, lui recommandant fortement d'accepter quand même ce nouvel emploi qui lui avait été proposé. Je continuai en lui vantant tous les avantages. Je ne savais cependant, s'il m'écoutait ou non tant il semblait lointain et distant, comme perdu dans quelque rêve intérieur. Finalement, je m'arrêtai et après quelques secondes il laissa tomber : «Non, c'est impossible. Je me sentirais empêché de faire ce que je veux.»

Et voilà ! Pendant que je lui parlais, il avait instinctivement fait le tour de la question et il avait décidé que les risques étaient trop grands de se sentir un jour «obligé» de faire ce qu'il ne voulait pas.

Heureusement pour lui, ce choix avait été le bon. Mais bien souvent, cette crainte de voir sa liberté brimée lui nuira et l'empêchera de profiter d'avantages à longue échéance. Un Poissons a besoin de sentir qu'il peut faire ce qu'il veut, quand il le veut. Malheureusement, cela n'est pas toujours possible et notre Poissons, plus qu'un autre, souffrira des restrictions que la vie lui impose. C'est pourquoi, il est le signe le plus facilement sujet à succomber à l'influence de l'alcool ou des drogues pensant trouver ainsi cette liberté ou ce monde de rêves que la réalité quotidienne lui refuse.

Et c'est justement parce qu'il accepte difficilement les limites que notre Poissons peut être facilement influençable. C'est une éponge psychique. Mais j'entends déjà les protestations de mes amis Poissons pour m'affirmer qu'ils ne sont pas si influençables que cela. Bon, je m'explique.

Le Poissons, donc, est une «éponge psychique» et il peut alors capter facilement les émotions et les pensées des autres et les faire siennes. Ainsi, chers Poissons, si vous me rencontrez et que je suis par exemple dans un état dépressif, il y a de fortes chances pour que vous le deveniez vous aussi. Vous vous sentirez tout à coup tristes et sans entrain même si la minute d'avant vous étiez heureux. Une amie Poissons est ainsi. Elle accepte difficilement qu'on lui dise qu'elle est influençable. Mais combien de fois ne l'ai-je pas vue pénétrer dans une pièce et me dire bien sérieusement : «Je n'aime pas cet endroit, je m'y sens mal à l'aise.» Elle a raison, bien sûr, mais là n'est pas le point.

Comme tous les Poissons, elle est empathique et ses antennes lui font percevoir ce que les autres, bien souvent, ne sentiront pas. Ce qu'elle sent influence alors son jugement parce qu'elle a absorbé tout ce qui se passait. Satisfaits, amis Poissons ?

Pour cette raison et plus que n'importe quel autre signe, le Poissons doit donc bien choisir ses amis. De plus, il doit aussi se retrouver périodiquement seul afin d'être capable de se retrouver lui-même. Il a besoin de ces périodes d'isolation pour éviter d'être complètement pollué par la négativité des autres. Si vous avez des amis Poissons, ne vous surprenez pas, qu'à l'occasion, vous soyez un certain temps sans recevoir de leurs nouvelles. Ils se sont tout simplement mis à la retraite.

Notre Poissons est également un réceptif et vous aurez souvent l'impression qu'il semble se modifier selon son entourage. Il se sent bien partout, vous savez, et il est à l'aise n'importe où. C'est un citoyen du monde, il n'a pas la notion de frontières. Et parce qu'il n'accepte pas ce qui est fini, il acceptera tout sans rien rejeter. Il choisira seulement quand il aura digéré toutes les informations. C'est ainsi que si vous donnez un conseil à un Poissons, vous croirez peut-être qu'il ne vous écoute pas. Mais, détrompez-vous. Il a tout entendu, tout retenu et souvent, il suivra ce conseil. Encore une fois, uniquement quand il aura tout assimilé. Un ami Poissons, dans ces circonstances, me répondait d'ailleurs presque invariablement : «Tu as peut-être raison. Je te le dirai plus tard.»

Dans un monde où la place est à la sveltesse, notre Poissons est bien malheureux parce qu'il *assimile* aussi physiquement. Et quel que soit le type de Poissons, il aura tendance à prendre du poids et à retenir l'eau dans son système. Mais le principal point faible du Poissons se situe surtout au niveau de ses pieds qui sont en fait, bien souvent le seul lien le rattachant à la terre, à la réalité pourrait-on dire. Continuellement tiraillé entre deux mondes, le matériel et le spirituel, il semble avoir de la difficulté à planter fermement ses deux pieds sur la terre. Et peut-être aussi se rappelle-t-il que la légendaire sirène ne marchait pas ?

Et j'en arrive maintenant à la vie amoureuse de ce Poissons compatissant qui prendrait sur son dos toutes les misères humaines. Préparez-vous bien, parce qu'un Poissons amoureux peut facilement devenir une véritable sirène. Comme tous les autres signes d'eau, l'amour sous toutes ses formes tient une grande place dans la vie d'un Poissons. Cet amour pourra quelquefois surprendre et même désorienter mais rien n'est évident pour lui. Il est tout en nuances. Et si vous tombez amoureux d'un Poissons, vous devrez apprendre à deviner ce qu'il ressent. Il ne vous le dira pas et il pourra vous aimer à la folie sans que rien n'y paraisse. Le Poissons vous laisse sous le charme et vit ses émotions, pour lui.

Un ami Poissons était tombé follement amoureux. C'en était presque du délire. Le moindre propos ramenait son amie en surface, tout lui faisait penser à elle. De l'entendre ainsi parler me donna, bien entendu, l'envie de rencontrer cet être extraordinaire qui mettait mon ami dans un tel émoi. Je lui demandai donc quand il allait me la présenter. Je n'oublierai jamais la candeur avec laquelle il me répondit : «Mais elle ne le sait pas encore !»

La principale intéressée ignorait tout. Rassurez-vous, elle finit tout de même par l'apprendre. C'est souvent ainsi que réagira un Poissons. Il ne veut pas vous dévoiler ce qu'il pense, il préfère attendre que vous le deviniez.

Malheureusement, même très amoureux, le Poissons reste très indépendant. Il n'aime pas se fixer et vous savez bien qu'il ne supporte pas les barrières. Comme dans les autres domaines de sa vie, il sera expert dans l'art de vous glisser entre les doigts. Il en sera comme il l'entend et il ne se croira pas obligé de se plier aux normes admises par la société. Un Poissons se marie-t-il jamais alors ?

Bien entendu et notre Poissons est d'ailleurs une excellente mère de famille. Elle saura se sacrifier pour ses enfants en même temps qu'elle pourra trouver le juste milieu entre la douceur et la discipline. Il faut quand même dire que le mariage est difficile pour les natifs de ce signe. Le Poissons cherche le mariage idéal, à la mesure de ses rêves et dans lequel l'amour, l'amitié, l'affection, la sexualité seront harmonieusement unis. C'est tout un programme surtout que le Poissons a souvent tendance à s'attacher aux malheureux de ce monde prenant pour de l'amour ce qui n'est souvent que de la compassion.

Chère amie Poissons! Combien de fois n'est-elle pas tombée amoureuse de gens charmants mais qui avaient surtout un besoin profond de sa présence afin qu'elle leur redonne espoir, fût-ce financièrement ou psychiquement. Elle revenait toujours me voir, malheureuse à en mourir. Mais comme tous les Poissons, elle doit comprendre qu'il est très important qu'elle choisisse bien son partenaire et qu'elle sépare bien son besoin d'aider l'humanité et sa vie privée. Le Poissons, encore une fois, doit apprendre le discernement.

D'un autre côté, comme un Poissons a du rêve pour deux, il pourra facilement se choisir un partenaire sérieux, à l'esprit mûr. Et curieusement d'ailleurs, pour avoir un mariage heureux, le Poissons doit oublier les sacrifices, doit cesser de penser aux autres pour se concentrer sur son plaisir. Même s'il est difficile à marier, voyez-vous, il sera plus heureux dans le mariage que célibataire.

La vie avec un Poissons, cependant, n'est pas toujours rose. C'est un être au caractère changeant et avec lui, vous ne savez jamais vraiment à quoi vous attendre. Ainsi, il pourra être charmant, vous offrir des fleurs, vous amener au septième ciel et le lendemain, il vous adressera à peine la parole. Ne vous en faites pas, votre Poissons s'est tout simplement replié sur lui-même pour y inventer quelque projet. Son rêve terminé, il vous reviendra.

Vous connaissez des Poissons malheureux et moi aussi. S'ils peuvent fuir cette situation sans trop d'efforts, ils le feront. Sinon, ils sembleront alors accepter leur sort et vivront presque continuellement dans leur monde de rêves, et leurs incursions dans la réalité seront de plus en plus rares.

Je vous expliquais au tout début que le Poissons, même s'il ne l'exprime pas toujours, recherche le retour aux Sources. Mais tous les Poissons ne peuvent se diriger vers les ordres religieux ou l'étude des sciences occultes. Quel que soit le domaine qu'ils choisiront cependant, ils sauront tous utiliser leur imagination et leur créativité. Ils opteront souvent pour le domaine des arts où le réel et l'irréel se côtoient à merveille et dans lequel ils se sentiront très à l'aise. Ils pourront également être d'excellents politiciens ou hommes d'affaires puisqu'ils sont capables de sentir les vibrations des gens qui les entourent. Ils sauront donc saisir toutes les occasions favorables.

Et bien entendu, on les rencontrera souvent travaillant pour les déshérités de ce monde que ceux-ci soient émotivement perturbés ou physiquement handicapés. Notre Poissons est le signe de l'amour universel et de la compassion.

Quant aux Poissons que vous pouvez rencontrer tous les jours, ils auront à leur travail une attitude pour le moins pittoresque. Comme tous mes amis Poissons, il lui est difficile de respecter un horaire et il trouvera mille prétextes pour sortir du cadre astreignant du 9 à 5, par exemple. Il travaillera également dans un agréable fouillis dans lequel il se sentira très à l'aise, même si vous n'y comprenez rien.

Sa façon d'aborder le travail est aussi très fantaisiste et relève bien plus de l'intuition que d'un plan logique et bien organisé. Ainsi, nous avions, un ami Poissons et moi, un projet commun et pour nous faciliter la tâche, j'avais décidé d'entamer d'abord la première partie, lui laissant ensuite le soin de terminer le projet. Je préparai donc toutes mes données que je lui fis parvenir. Après un certain temps, n'en ayant reçu aucune nouvelle, je communiquai avec lui pour lui demander où il en était. J'en eus presque des sueurs froides.

— Je n'ai pas tout à fait commencé, me dit-il. Je ne suis pas prêt.

— Mais, lui dis-je. Tu n'oublies pas que nous avons un délai à respecter ?

— Sois sans inquiétudes, il sera respecté.

J'étais quand même un peu inquiet et j'espérais effectivement que notre projet serait terminé à temps. Mais si j'avais alors mieux connu le Poissons, j'aurais attendu patiemment car, bien sûr, tout fut prêt à temps. Je dois ajouter cependant que cet ami avait un ascendant Capricorne. Mais quand même, il ne faut pas bousculer un Poissons. Il ne peut travailler qu'à son rythme, qui est particulier j'en conviens, et c'est lui qui décide finalement lorsqu'il est prêt.

Et ne croyez surtout pas que le Poissons travaille lentement. Simplement, il est lent à démarrer. C'est comme si avant de procéder, il devait recueillir tout ce qui peut lui servir pour son travail, le jauger, le peser et enfin, le digérer. Et ensuite seulement il commencera son travail qui sera alors mené à bonnes fins. Notre curieux Poissons a quand même le sens de ses responsabilités, surtout quand il les a choisies.

Signe double par excellence, il faut encore ajouter qu'on peut y retrouver tout aussi bien les saints que les criminels, ce type de Poissons qui veut rejeter toutes responsabilités et vivre aux crochets de la société. Nul autre signe n'est plus sujet aux tentations de ses plus bas instincts ou aux gloires de l'Esprit. C'est le signe du rêve et de l'illégalité.

Le Poissons vit dans un rêve où tout peut être possible et, encore une fois, il doit apprendre à discerner, à choisir, surtout au niveau spirituel. C'est le médium-né, le clairvoyant et il est important pour lui d'apprendre à contrôler ses émotions s'il ne veut pas se perdre dans les méandres de la magie noire ou de la sorcellerie.

Le Poissons doit apprendre à vivre dans le monde matériel en établissant la mesure de ses aspirations occultes, spirituelles et celles de ses expériences et responsabilités quotidiennes. Il recherche l'union avec la Source première mais il doit d'abord éviter de s'en séparer par l'illusion et le rêve.

Le Poissons a besoin d'infini pour y dissoudre ses structures afin de renaître à une réalité plus grande, lui-même, corps et âme. Il aura ainsi à intégrer sa dualité à moins qu'il n'ait oublié de considérer l'ensemble dont cette dualité fait partie. S'il apprend à marcher entre ciel et terre cependant, le Poissons, signe de compassion, peut être alors un médecin des âmes. Il a suffisamment d'empathie pour être capable de déceler les peines les plus profondes et y porter remède.

Plusieurs Poissons plus évolués ont vraiment réussi à intégrer cette dualité et à la transcender. Ils réussissent alors à entrer en contact avec ce que les auteurs ésotériques appellent «les âmes maîtres» qui les inspirent tels que certains Poissons célèbres comme Vivaldi, Einstein et Hugo.

Ces Poissons ont réussi à dissoudre leurs chaînes, et se sont retrouvés vraiment libres. Il ont réussi à planter leurs pieds fermement entre ciel et terre. La déchirure s'est refermée.

Le cycle zodiacal se termine et la dernière porte se referme sur un nouveau cycle qui commence.

«Pour celui qui le regarde,
«Pour celui qui l'écoute,
«Pour celui qui le caresse,
«Pour les dieux comme pour les mortels,
«L'océan est éternel.»

(Vieille chanson de pêcheurs grecs.)

TABLEAU SOMMAIRE DU POISSONS

Mot clé	Je transforme
Principe	La transcendance du MOI amène à la vraie connaissance de SOI et à la communion réelle avec l'Un.
Polarité	Négative
Croix	Mutable
Élément	Eau
Maître	Neptune
Symbole	♓

QUALITÉS	DÉFAUTS
humble	vague
compatissant, sympathique	insouciant
émotif	secret
sensible	facilement confus
adaptable	incapable de faire face à la réalité
empathique	volonté faible
bon, intuitif	indécis
réceptif, médium	manipulateur
simple	sensuel
créatif	
fortes aspirations spirituelles	

LES PLANÈTES

LE SOLEIL

Le Soleil correspond à l'ego, à l'individualité, à la volonté. Il représente la partie consciente de la personnalité, celle qui ordonne la mobilisation des énergies biopsychiques. Il représente également nos aptitudes créatrices et l'état général de la santé. Le Soleil est l'essence de ce que nous sommes, le potentiel que nous devons tenter de développer de plus en plus. Il désigne le père physique, ce qu'il pensait de lui-même.

Dans les signes, il témoigne la façon particulière dont s'exprime le moi, quel niveau de perfectionnement nous pouvons atteindre. Il dévoile nos dons et nos tendances innées.

NOTE: Pour une meilleure compréhension du Soleil, reportez-vous aux signes de même qu'au principe qui apparaît dans le tableau à la fin de chacun des signes.

EN BÉLIER

Le potentiel créateur s'exprime de façon individuelle et se ramène à soi.

L'individu est énergique, impatient, audacieux et impulsif. C'est un innovateur qui accepte difficilement la contrainte.

L'esprit de compétition est puissant.

EN TAUREAU

Le potentiel créateur s'exprime à travers les sens en fonction de valeurs matérielles bien réelles.

L'individu est volontaire, aimable mais peut être également obstiné et trop conservateur.

Il a besoin de travailler à quelque chose de concret, à son propre rythme.

Il apprécie le confort et la facilité.

EN GÉMEAUX

Le potentiel créateur s'exprime en fonction d'excitations mentales.

L'individu s'adapte et apprend facilement mais les énergies peuvent se disperser.

Il veut tout apprendre et il peut oublier d'approfondir. Il devient alors superficiel.

Il aime le changement et l'humeur peut se modifier rapidement.

EN CANCER

Le potentiel créateur s'exprime en fonction des conditions environnantes et des sentiments.

L'individu est discret et tenace mais il peut également être trop sensible aux influences. Selon ce que fut son enfance, il sera très généreux ou trop replié sur lui-même.

Le foyer est important et représente sa sécurité.

EN LION

Le potentiel créateur s'exprime par les émotions et est centré sur le moi.

L'individu est autoritaire et magnanime mais il peut être despotique. Il a une forte volonté et cherche à dominer. Il est chaleureux et apprécie la franchise. Il a besoin de se respecter lui-même.

EN VIERGE

Le potentiel créateur s'exprime par la logique et la morale.

L'individu est ingénieux et serviable mais il peut être trop critique et sceptique.

Il travaille avec soin mais a tendance à être trop pointilleux. Il s'inquiète de sa santé et a besoin de se sentir utile.

EN BALANCE

Le potentiel créateur s'exprime à travers des valeurs et des opinions socialement orientées.

L'individu est sociable et juste mais peut être inconstant et vaniteux. Il aime la compagnie des autres et essaie de plaire à tous et chacun. C'est un pacifique qui n'aime pas les disputes et peut avoir de la difficulté à prendre une décision.

EN SCORPION

Le potentiel créateur s'exprime à travers des émotions profondes et intenses.

L'individu est intériorisé et a un fort magnétisme personnel mais il peut être extrémiste et jaloux. Il adore le mystère mais n'aime pas parler de ses émotions. Il peut être rancunier, combatif et cherche à savoir ce qui se passe dans l'esprit des autres.

Il ne s'engage pas à la légère.

EN SAGITTAIRE

Le potentiel créateur s'exprime à travers un système de valeurs et de croyances élargies.

L'individu est bienveillant et enthousiaste mais il peut être rebelle et trop aventureux. Il sera joyeux et on aimera sa compagnie. Il a besoin de se sentir libre et n'aime pas qu'on lui dicte sa conduite. Esprit curieux.

EN CAPRICORNE

Le potentiel créateur s'exprime à travers le pouvoir social et parental.

L'individu est prudent et persévérant et il peut être aussi froid et méfiant. Il a l'air sérieux et aime prendre des responsabilités. Ambitieux, il est attiré par le côté pratique et vrai des choses. Peu d'intérêts pour la fantaisie.

EN VERSEAU

Le potentiel créateur s'exprime à travers les valeurs sociales du groupe.

L'individu est progressiste et indépendant mais il peut être excentrique et révolutionnaire. Il aime tout ce qui est nouveau et la routine l'ennuie. Il aime travailler en groupe du moment que les buts du groupe et les siens concordent. Il veut que tous soient traités justement.

EN POISSONS

Le potentiel créateur s'exprime à travers l'espoir d'un monde meilleur.

L'individu est empathique et adaptable mais il peut être trop impressionnable et manquer d'esprit pratique. Il comprend facilement les autres et est toujours prêt à aider. Il a besoin des autres mais il doit s'assurer de leur sincérité. N'aime pas blesser ou être blessé.

LA LUNE

La Lune correspond au besoin de sécurité émotionnelle, au maternage, aux habitudes. Elle nous indique jusqu'à quel point nous sommes impressionnables psychiquement parce qu'elle représente la partie inconsciente de la personnalité. Elle dénote notre degré de sensibilité, comment nous ressentons, notre vie intime, notre enfance et notre famille. Elle précise également la part que l'on accorde aux rêves et à l'imagination et décrit comment nous exprimons nos émotions et jusqu'à quel point nous sommes à l'aise pour les extérioriser. Elle désigne notre mère physique et la façon dont elle a influencé le côté émotif de notre personnalité.

Dans les signes, elle indique notre degré de réceptivité. Elle donne la mesure de nos réactions aux stimuli de l'environnement et comment nous nous adaptons à cet environnement. Elle correspond aux habitudes difficiles à éliminer.

EN BÉLIER

Les réactions aux défis de la vie sont individuelles, et ramenées à soi.
Les émotions sont impulsives et le caractère instable.
L'individu est hardi et souhaite être le premier. Il agit en conséquence. L'imagination est vive.

EN TAUREAU

Les réactions à la vie sont conditionnées par les sens selon des valeurs matérielles et bien réelles.
Les émotions sont stables.
L'individu peut s'accrocher aux valeurs traditionnelles et accepte difficilement le changement.

EN GÉMEAUX

Les réactions à la vie sont conditionnées par des excitations mentales.
Les émotions sont raisonnées et peuvent changer rapidement.
L'individu s'adapte facilement à toutes les situations et supporte difficilement la stabilité.

EN CANCER

Les réactions à la vie dépendent des conditions environnantes.

Les sentiments sont plus importants que la logique.

La mémoire est habituellement bonne.

L'individu est sensible, impressionnable et susceptible. Il s'attache avec ténacité aux souvenirs du passé.

EN LION

Les réactions à la vie sont émotives et centrées sur le moi.

Les sentiments sont honorables, magnanimes mais avec une tendance à l'emphase.

L'individu est fier et chaleureux mais il a également besoin d'être constamment rassuré.

EN VIERGE

Les réactions à la vie sont réservées et se basent sur la logique et la morale. L'adaptation à la vie est analytique et critique.

L'individu est timide, serviable mais peut avoir tendance à se sous-estimer et à trop s'inquiéter.

EN BALANCE

Les réactions à la vie s'appuient sur des valeurs et des opinions socialement orientées.

Les émotions sont chaleureuses et douces.

L'individu apprécie la vie douce, les gens chaleureux et les choses artistiques et belles.

EN SCORPION

Les réactions à la vie sont émotivement profondes et intenses.

Les émotions sont fortes et sensuelles mais ne sont pas facilement communiquées.

L'individu est déterminé et capable de pousser à l'action.

EN SAGITTAIRE

Les réactions à la vie sont franches et s'appuient sur un système de valeurs et de croyances élargies.

La vie est marquée par la soif d'apprendre.

L'individu est idéaliste et indépendant en même temps qu'il peut être rebelle et insouciant.

EN CAPRICORNE

Les réactions à la vie sont pratiques et se basent sur le pouvoir social et parental.

Les émotions sont réservées.

L'individu est sérieux, timide et modeste et a besoin de sentir qu'il est nécessaire aux autres.

EN VERSEAU

Les réactions à la vie sont influencées par les valeurs sociales du groupe.

L'individu essaie de contrôler ses émotions qui sont intellectuellement examinées.

Il est original, tient à sa liberté et veut s'exprimer à sa façon.

EN POISSONS

Les réactions à la vie s'appuient sur l'espoir d'un monde meilleur.

L'imagination est vive et créatrice.

L'individu est réceptif, sensible, impressionnable et empathique. Il a tendance à trop vouloir vivre dans le rêve.

MERCURE

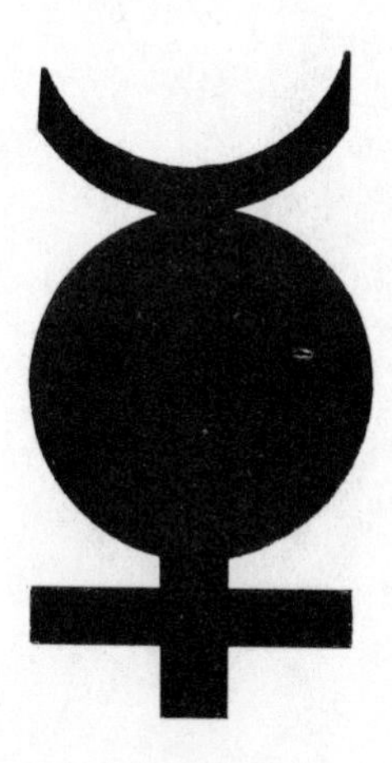

Mercure représente la communication et les moyens d'expression. Il correspond aux livres, à la diffusion des idées, à la presse, à nos écrits. Il nous renseigne sur nos déplacements et nos relations avec l'entourage, sur notre façon d'apprendre. Il indique également la qualité de notre processus mental, de notre intelligence. Il peut désigner les frères et soeurs du sujet.

Dans les signes, il dénotera notre façon de penser, de nous adapter aux circonstances. Il nous dira comment nous nous exprimons et comment nous communiquons avec les autres.

EN BÉLIER

Le processus mental est vif et prompt quoique impatient.

L'individu veut promouvoir des idées nouvelles qu'il peut défendre même s'il n'a pas raison. Il pense de façon indépendante mais peut sauter aux conclusions trop rapidement.

EN TAUREAU

Le processus mental est pratique et peut être rigide.

L'individu préfère les idées concrètes. Il pense et il conclut lentement et prudemment après avoir mûrement réfléchi. Les idées sont filtrées par les sens.

EN GÉMEAUX

Le processus mental est actif et rationnel. Les idées sont exprimées clairement et rapidement mais peuvent manquer de rigueur.

L'individu aime communiquer et apprend rapidement mais a besoin de stimulation intellectuelle pour poursuivre son but.

EN CANCER

Le processus mental est réceptif et exprime ce qui est ressenti. Les idées sont apprises et comprises depuis longtemps.

L'individu essaie de produire une bonne impression mais les idées sont souvent influencées par l'entourage.

EN LION

Le processus mental est organisé et créatif.

Les idées sont influencées par les émotions et les pulsions de l'ego.

L'individu peut s'exprimer avec fierté et certitude et trouve important d'avoir raison.

EN VIERGE

Le processus mental est analytique, pratique et quelquefois trop critique.

Les idées et les données sont soigneusement classées.

L'individu est capable de dextérité manuelle et attache beaucoup d'importance aux détails.

EN BALANCE

Le processus mental est objectif et le jugement impartial.

Les idées sont larges et modérées.

L'individu a le sens de la beauté comme du compromis et il lui est souvent difficile de choisir.

EN SCORPION

Le processus mental est profond et cherche à comprendre la nature relative des choses. L'intelligence est pénétrante.

L'individu aime aller au fond des choses et ses remarques peuvent souvent être sarcastiques.

EN SAGITTAIRE

Le processus mental est large et capable de synthèse. L'intelligence est alerte et capable de définir des concepts abstraits.

L'individu est idéaliste et recherche les causes et la «Vérité» mais peut avoir tendance à travailler trop vite. Il peut être trop franc.

EN CAPRICORNE

Le processus mental est méthodique et concret. L'intelligence est pratique et réaliste.

L'individu aime planifier, c'est un bon organisateur. Il veut intégrer des solutions aux problèmes sociaux et professionnels. Il peut être dur et froid.

EN VERSEAU

Le processus mental est original et indépendant. Les idées sont progressistes mais quelquefois excentriques.

L'individu peut être avant-gardiste, inconventionnel et il aime choquer. Il a tendance à critiquer le passé et à planifier le futur.

EN POISSONS

Le processus mental est méditatif et influençable. La pensée est tournée vers l'intérieur et veut transcender les choses mais peut être mélancolique.

L'individu est influencé par ses émotions. Il est fantaisiste mais inspiré et son esprit est subtil.

VÉNUS

Vénus représente le principe d'attraction. Elle correspond à la douceur, à l'harmonie et à l'affection et détermine comment nous porterons des jugements de valeur sur tout. Elle indique également notre conception intellectuelle de l'amour. C'est la planète de l'art, du plaisir et de l'agrément et elle parle de bonté autant que de beauté. Elle désigne notre mère psychologique et comment celle-ci a influencé notre façon d'apprécier et d'accepter l'amour.

Dans les signes, elle indique notre manière d'exprimer nos sentiments et jusqu'à quel point nos relations sont affectueuses. Elle dénote le genre de personnes qui nous attirent. Elle nous fait voir aussi notre degré de sociabilité, de sentimentalité et de charme personnel en même temps qu'elle décrit notre conception de la beauté.

EN BÉLIER

Les sentiments sont facilement exprimés mais ont besoin de rester libres.

L'individu sait ce qu'il veut et s'arrange pour l'obtenir mais a tendance à tout ramener à lui-même. Les passions peuvent être subites et impulsives.

EN TAUREAU

Les affections seront stables et pourront aller jusqu'à la possession.

L'individu sera aimable et fidèle mais aura tendance à se laisser vivre. Il aime son confort et les choses luxueuses et peut devenir facilement paresseux.

EN GÉMEAUX

Les sentiments s'expriment de façon agréable et humoristique avec les proches.

L'individu a besoin de variété et peut avoir de la difficulté à s'attacher à une seule personne. Il est amical, ouvert avec les gens mais peut être trop superficiel.

EN CANCER

Les sentiments sont orientés vers les autres, surtout la famille.

L'individu a besoin de sécurité affective pour être capable d'en donner en retour. Les relations avec la mère sont importantes puisqu'elles influenceront l'harmonie avec les autres.

EN LION

Les affections sont loyales et sincères mais peuvent être empreintes d'orgueil.

L'individu est attiré par les personnes honnêtes et justes mais peut désirer des amis qui paraissent bien. Il a un goût marqué pour toutes les activités créatrices.

EN VIERGE

Les sentiments sont purs et désintéressés mais peuvent être égoïstes.

L'individu est serviable et peut penser qu'on l'apprécie pour ce qu'il fait et non pour ce qu'il est. Il aime que son entourage soit propre et son travail soigné. Les relations employé-employeur sont empreintes de compréhension.

EN BALANCE

Les sentiments s'orientent vers l'amitié et il y a un constant besoin d'affection.

L'individu n'aime pas la solitude. Il peut avoir tendance à devenir l'image de ce que l'autre veut. Il a aussi le sens des proportions et aime tout ce qui est beau.

EN SCORPION

Les sentiments peuvent être passionnés et possessifs.

L'individu éprouve de la difficulté à exprimer ses émotions profondes et les amitiés seront peu nombreuses mais durables. Il y aura partage harmonieux avec les associés.

EN SAGITTAIRE

Les sentiments sont généreux et impartiaux mais il peut y avoir imprudence en amour.

L'individu est capable de parler de ses émotions et il aura de nombreux amis. Il désire cependant être libre dans ses relations amoureuses. Goût pour les grands voyages.

EN CAPRICORNE

Les sentiments et les affections sont gardés sous contrôle.

L'individu cherche la stabilité affective mais pourra chercher à se servir de ses relations pour son avancement. Il n'est pas indulgent pour lui-même et a de la difficulté avec les gens trop expressifs.

EN VERSEAU

Les affections sont amicales, indépendantes et parfois originales.

L'individu recherche les amis excitants et aime la popularité. Amical, mais craint les relations trop étroites qui peuvent lui faire perdre sa liberté. Recherche les relations de groupe.

EN POISSONS

Les sentiments sont romanesques, désintéressés mais parfois confus.

L'individu pourra préférer la compagnie des livres et recherchera la présence de personnes calmes. Inspiré par les arts, il a le goût de l'évasion.

MARS

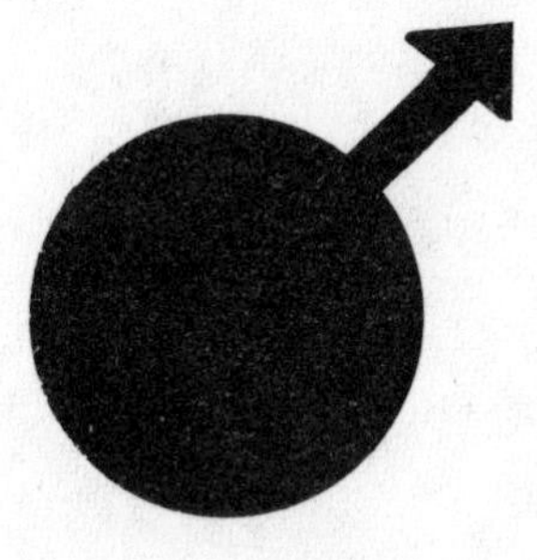

Mars représente l'esprit et le pouvoir d'initiative, l'impulsion à agir, l'action, la force, l'agressivité et la capacité de mobiliser l'énergie. Il symbolise le feu des désirs, le dynamisme.

Dans les signes, il indique la manière dont nous exprimons notre énergie, la façon dont nous cherchons à conquérir et à posséder. Il précise notre degré d'énergie disponible, notre degré d'agressivité et de combativité.

EN BÉLIER

L'action est indépendante et a besoin de s'affirmer.
L'individu coopère difficilement et a tendance à être imprudent, impulsif et même agressif dans l'accomplissement de toute activité. Il se fâche vite mais il n'est pas rancunier.

EN TAUREAU

L'action est persévérante et ferme et parfois vindicative.
L'individu a besoin de posséder ses propres choses. Il travaille lentement mais sûrement en fonction du but qu'il s'est fixé. Il est obstiné et résiste avec force à ceux qui le poussent à agir trop rapidement.

EN GÉMEAUX

L'esprit est vif dans l'action, la répartie prompte et incisive.
L'individu s'implique et travaille rapidement à quelque chose et a de la difficulté à terminer ce qu'il commence. Il a une grande facilité pour la discussion.

EN CANCER

L'action est colorée par les états d'âme.

L'individu veut conserver les valeurs du passé, il est profondément attaché au milieu familial. Il peut être très autoritaire en famille et la susceptibilité est accrue.

EN LION

L'action est marquée par la fierté et la créativité.

L'individu a besoin de prouver sa valeur aux autres et il désire commander. Il donne un effort maximum quand on fait appel à son sens de l'équité. Il connaît ses limites.

EN VIERGE

L'action est efficace et pratique.

L'individu a besoin d'être méthodique et critique et peut être intransigeant dans son travail. Il peut penser les autres irresponsables et il doit apprendre la tolérance.

EN BALANCE

L'action passe par la collaboration ou la compétition.

L'individu a le sens de la justice et a besoin de voir les deux côtés de la médaille avant de prendre une décision. Il peut ainsi se décider trop tard à l'action.

EN SCORPION

L'action volontaire et persistante passe par les émotions qui sont profondes et pénétrantes. La récupération peut être exceptionnelle.

L'individu est capable d'insister jusqu'à ce qu'il obtienne ce qu'il veut. Il ne se mettra pas nécessairement en colère mais ses remarques seront blessantes.

EN SAGITTAIRE

L'action est indépendante et idéaliste.

L'individu a besoin de liberté et d'activités physiques. Il veut améliorer la situation du monde en fonction de ses idéaux. Il est capable de faire ce qui doit être fait mais se rebelle face à toute restriction.

EN CAPRICORNE

L'action est disciplinée et tenace.

L'individu est responsable mais a besoin de réalités tangibles pour travailler. Il est ambitieux et capable de travailler très fort pour atteindre son but. Il est porté à juger les autres selon leur prestige social.

EN VERSEAU

L'action est originale et inventive.

L'individu a le souci du bien de la société et pourra défendre ses idées avant-gardistes jusqu'au défi de l'autorité. N'aime pas travailler selon des critères établis et préférera ses propres méthodes.

EN POISSONS

Impressionnable, l'action est teintée de sensibilité.

L'individu a tendance à contourner l'action. Il aura de la difficulté à s'affirmer mais viendra facilement en aide aux autres. Il fuit les personnes dominantes.

JUPITER

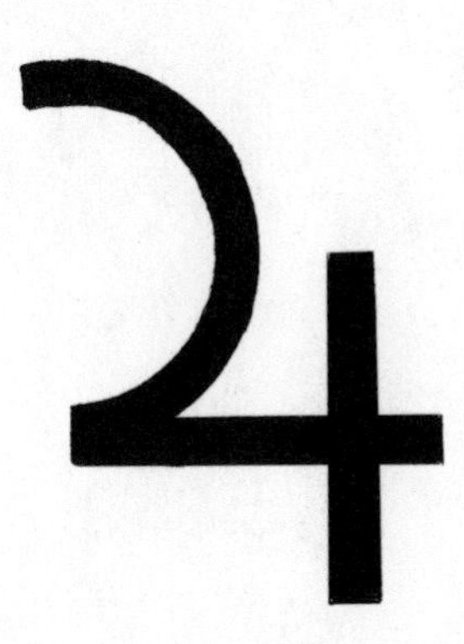

Jupiter représente notre énergie d'expansion et d'intégration. Elle incarne l'exubérance, la générosité, l'épanouissement, le jugement, la sagesse. Mais elle représente également l'équilibre, l'autorité, la stabilité dans le progrès, l'optimisme et la confiance.

Dans les signes, cette planète précise notre façon de croître, de grandir et de prendre de l'expansion. Elle indique nos possibilités de développement à l'intérieur des lois et dépeint en même temps notre sens social et notre intégration à la vie en général.

EN BÉLIER

La croissance et la découverte de soi font appel aux possibilités et aux talents naturels.

L'individu a besoin de s'accomplir individuellement en agissant de façon autonome. Sinon il pourra essayer de combler ses besoins au détriment des autres.

EN TAUREAU

La croissance se fera par la recherche d'une base stable dans la vie.

L'individu aura des vues larges sur la façon d'administrer ses possessions. Le besoin de sécurité pourra se manifester par l'accumulation de biens. L'individu a une nature chaleureuse.

EN GÉMEAUX

La croissance se fait par le développement des facultés mentales qui peuvent s'adapter rapidement aux besoins de l'environnement.

L'individu peut percevoir la vie avec un détachement logique qui l'aide à solutionner bien des problèmes. Il est curieux et lit beaucoup.

EN CANCER

La croissance est marquée par l'intégration et la stabilisation de la personnalité.
L'individu est paisible et dépend de sa famille et de sa communauté pour croître. Il sent le besoin d'élargir l'influence et les frontières de la famille.

EN LION

La croissance se joue au niveau de l'ego par l'expression des oeuvres créées.
L'individu a donc besoin d'être fier de ses créations. Il a besoin d'être respecté mais doit apprendre à développer son sens des responsabilités face aux autres.

EN VIERGE

La croissance est marquée par la compréhension de soi en développant le sens du devoir.
L'individu a besoin de se sentir utile aux autres et pourra travailler à améliorer tout ce qui a trait à la santé, aux relations patron-employé. Il peut être trop réaliste.

EN BALANCE

La croissance s'accomplit par l'épanouissement de la nature essentielle parmi les relations interpersonnelles significatives.
L'individu a besoin de vivre dans la justice et l'équilibre. Il ressent profondément la beauté sous toutes ses formes.

EN SCORPION

La croissance se situe au niveau de la compréhension profonde de toute situation en s'y unissant intensément ce qui amène la croissance du pouvoir personnel.
L'individu peut questionner jusqu'à ce qu'il ait une réponse satisfaisante. Il ressent la psychologie humaine de façon intuitive.

EN SAGITTAIRE

La croissance implique la compréhension universelle des valeurs socio-culturelles.

L'individu a un grand besoin de liberté et d'expérimentation directe dans tous les domaines. Il est idéaliste et pourra développer un sens spirituel très fort.

EN CAPRICORNE

La croissance s'accomplit par la concrétisation des idéaux en structures pratiques.

L'individu a un sens de l'organisation développé, un jugement sûr et un respect de l'ordre qui lui permet de s'accomplir dans le monde. Il veut avoir raison et ne se pardonne pas facilement ses erreurs.

EN VERSEAU

La croissance passe par la réalisation des projets à des fins collectives et humanitaires.

L'individu recherche la liberté mais il la réalisera le mieux au sein d'un groupe. L'autorité doit prouver sa valeur avant d'être respectée.

EN POISSONS

La croissance se fait par l'ouverture de la conscience spirituelle du monde et de l'univers. Il y a ici la chance de terminer un cycle de façon significative.

L'individu doit apprendre à aider les autres sans oublier sa propre satisfaction. Idéaliste qui peut être facilement déçu, il doit apprendre à rendre ses idéaux pratiques pour lui et les autres.

SATURNE

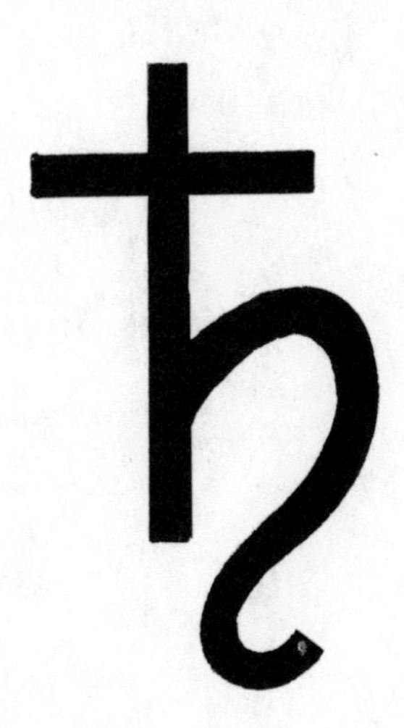

Saturne est la planète de l'inertie, de la pesanteur, de l'ordre rigide, de la stabilité, de la régularité absolue et de la précision. Elle incarne la concentration et s'oppose à tout changement. Elle peut être un frein puissant et symbolise l'auto-conservation, les formes, les structures, l'apprentissage, le temps, la cristallisation et les complexes. Elle pousse au repliement sur soi, à la réserve, à l'économie des forces, à l'égoïsme et à la froideur.

Dans les signes, elle indique notre façon d'être profond et sérieux, notre stabilité, comment nous sommes méthodiques. Elle dénote comment nous pouvons acquérir une compréhension profonde de soi.

Elle désigne le père psychologique et son influence sur le développement de l'enfant.

EN BÉLIER

Il y a désir profond de définir qui l'on est par soi-même.

Par peur que les autres lui nuisent, l'individu souhaite demeurer seul et indépendant. Les opinions se forment à partir de critères personnels. Les relations avec le père sont importantes.

EN TAUREAU

Il peut y avoir fixation par rapport au concept de possession et au sentiment de sécurité qui s'y rattache.

L'individu a besoin d'une sécurité sur laquelle il peut compter ce qui peut lui donner une certaine rigidité. Il est résistant face à l'adversité mais il a besoin du support des parents.

EN GÉMEAUX

Il y a concentration sur l'essentiel dans la façon de communiquer.

L'individu pense de façon tangible et concrète et la pensée risque de devenir rigide. Il craint d'avoir tort et s'exprime prudemment. Aptitude à rendre les idées abstraites plus pratiques.

EN CANCER

Il peut y avoir limitation de la vie familiale et influence marquée des parents.

L'individu a un grand besoin de sécurité émotive sinon il peut développer un sentiment de «non-appartenance». Il a de la difficulté à exprimer ses émotions ce qui peut amener un conflit avec le moi intérieur.

EN LION

Le besoin d'expression personnelle est moins marqué, l'ego étant poussé à se replier socialement sur lui-même.

L'individu est porté à rester seul et séparé du monde. Il a besoin d'être encouragé pour s'exprimer puisqu'il trouve cela difficile. Les buts fixés sont très hauts.

EN VIERGE

Il y a accroissement du besoin de se transformer, de se changer.

L'individu a tendance à accentuer les problèmes de santé et du travail obligatoire et il se sous-estime. Il est pratique et a besoin de savoir que ses efforts se traduisent en résultats concrets.

EN BALANCE

Les associations et la vie sociale sont restreintes mais sérieuses.

L'individu se décide très lentement mais sa décision est souvent la bonne. Il est conscient des règles et devoirs envers les amis et ne brise jamais une entente. Il croit que chacun a ce qu'il mérite.

EN SCORPION

Il peut y avoir obtention de pouvoir social et de sécurité personnelle par l'union à un groupe.

L'individu supporte difficilement les changements psychologiques profonds et exprime ses émotions avec peine. Il peut être impulsif sans comprendre pourquoi et il doit apprendre à accepter ce qui le motive.

EN SAGITTAIRE

Il y a désir de concrétiser les idées abstraites et de donner forme aux théories de croissance.

L'individu est prudent face à toute nouvelle connaissance et il apprend lentement et prudemment. Il pourra donc être conservateur et même quelquefois intolérant.

EN CAPRICORNE

Il y a concentration du pouvoir social afin de permettre l'intégration d'éléments ou de systèmes opposés.

L'individu est pratique, économe, organisé mais il peut être froid et cassant. Il est capable d'assumer les responsabilités qu'on lui confie. Il est ambitieux.

EN VERSEAU

La vision des choses est conservatrice et traditionnelle afin d'assurer la réalisation des idéaux et projets collectifs.

L'individu est efficace en groupe mais il doit apprendre à développer ses propres valeurs. Il pourra sacrifier l'imagination et les émotions pour les idéaux.

EN POISSONS

Il peut y avoir cristallisation des images subconscientes.

L'individu manque de sécurité et se sent limité dans ses réalisations. Il se sent obligé de combler les besoins des autres avant les siens et sera donc souvent insatisfait. Tendance à idéaliser les autres et à ne pas accepter leurs faiblesses. Donc déçu face aux autres.

URANUS

Uranus correspond aux intuitions subites, aux changements brusques, aux impulsions soudaines, à l'originalité. Elle représente également les bouleversements subits et imprévus, les interventions et les créations originales en même temps que le progrès. Elle dévoile des vérités profondes. Elle révèle des mondes plus vastes et des vérités plus universelles.

Dans les signes, elle indique notre largesse d'esprit, notre ouverture aux idées nouvelles et aux défis. Elle représente également l'esprit de contestation et notre façon de nous adapter à un passé révolu.

EN BÉLIER

L'individu a un très grand sens de l'expression de soi et se rebelle contre les contraintes sociales. Le caractère est spontané, impulsif ou autoritaire et rebelle.
La liberté individuelle est plus importante que la liberté sociale.

EN TAUREAU

L'individu aura tendance à remettre en question la façon de gérer les biens matériels et la productivité. Il pourra au contraire vouloir se construire une base matérielle solide pour assurer sa sécurité.
Il fera preuve d'originalité dans les domaines pratiques.

EN GÉMEAUX

L'individu aura des idées originales et trouvera de nouvelles façons pour les communiquer. Il peut avoir de la difficulté à comprendre le côté pratique de la vie. Il préférera les moyens modernes de communication. Il pourra également être polyvalent et «gesticulant».

EN CANCER

L'individu a moins besoin de la sécurité du foyer et veut se libérer des vieilles traditions. Il peut avoir été élevé dans un milieu libre et pourra faire preuve d'indépendance face au besoin de sécurité émotionnelle.

EN LION

L'individu cherche de nouveaux moyens de s'exprimer pour faire sa marque dans le monde. Il sera très individualiste et excentrique et attachera beaucoup plus d'importance à l'expression de soi qu'à l'autodiscipline. Il n'aime pas les conventions et il peut être despote.

EN VIERGE

L'individu voudra se rebeller contre toute forme d'obligations ou de responsabilités mais il pourra faire preuve d'ingéniosité et de génie inventif pour trouver de nouvelles techniques de travail et de guérison. Ses innovations ont toujours un côté pratique.

EN BALANCE

L'individu essaie de trouver de nouvelles façons de créer des relations, à tous les niveaux. Il fait preuve de talents artistiques inhabituels. Il a besoin de beaucoup de liberté et ses relations se feront aussi vite qu'elles se briseront.

EN SCORPION

L'individu a une tendance aux changements radicaux et profonds à cause de sa compréhension personnelle et émotive de la nature relative des choses. Il pourra avoir un caractère difficile et verbaliser difficilement ses émotions. Il démontrera des qualités originales d'investigation.

EN SAGITTAIRE

L'individu remet en question toute tradition et idéal déjà établis. Il est attiré par les idées nouvelles et innovatrices. Il a un grand besoin de liberté et peut se rebeller contre les lois. Il a le désir de servir une cause.

EN CAPRICORNE

L'individu remet en cause les institutions et les structures sociales traditionnelles. Il est porté à se rebeller contre toute forme d'autorité. Les changements qu'il créera seront réels et à long terme. Il est sérieux et persévérant mais pourra changer souvent d'emploi.

EN VERSEAU

L'individu favorise la réforme humanitaire souvent au détriment de ses propres besoins. C'est un réformateur mais qui doit apprendre l'importance des émotions et des besoins de chacun. Il comprend difficilement la relation interpersonnelle et ses amitiés seront instables.

EN POISSONS

L'individu veut intégrer les idéaux spirituels aux valeurs sociales mais il ne se préoccupe pas de la vie de tous les jours. Il pense aux idées à transmettre à une société plutôt qu'à un individu. Il risque d'être un rêveur sans aucun sens pratique et il devra apprendre à traiter avec les gens.

NEPTUNE

Neptune donne du raffinement, de l'imagination, l'inspiration mais également l'incertitude, la confusion. Elle dissout les structures saturniennes afin de tout universaliser. Elle gouverne aussi le subconscient et provoque les maladies mentales, les dépressions et les manies. Neptune représente l'essence même de l'intégration et de la dissolution universelle.

Dans les signes, elle indique notre genre de sensibilité, notre inspiration et comment nous communions avec l'univers. Mais elle indique également comment nous vivons nos illusions et nos déceptions et de quelle façon nous pouvons être déçus.

EN BÉLIER

Cette génération d'individus excellera à faire la promotion de concepts idéalistes. L'inspiration est spontanée et les actions personnelles veulent s'universaliser.

L'individu pourra être enthousiaste et avoir des idées de génie mais ce sera également un fanatique.

EN TAUREAU

La sensibilité de ces individus sera particulièrement développée. Ils auront donc un goût marqué pour les arts en général.

Il pourra y avoir exagération dans la recherche de jouissances matérielles et la conception des possessions matérielles sera souvent vague et confuse.

EN GÉMEAUX

Ces individus comprendront et assimileront facilement la nature abstraite des choses. Leurs écrits seront inspirés et leur curiosité les attirera vers les mystères. D'un autre côté, ils auront une tendance aux idées utopiques et pourront passer des heures à rêvasser.

EN CANCER

Ces individus idéaliseront la vie familiale, dont l'influence sera grande. Ils voudront créer une famille mondiale. Ils pourront être également trop influencés par leur entourage et sujets à l'inquiétude et à l'appréhension.

EN LION

Ces individus auront des goûts très raffinés et le sens inné de la beauté. Les sentiments seront nobles et pleins de tact. Le moi y perdra de sa consistance tout en se développant. Ces individus pourront également vouloir mener une vie de bohème et les amours pourront être marquées d'infidélité.

EN VIERGE

Ces individus sauront heureusement allier l'intuition et le sens pratique. Ils seront capables d'abnégation dans l'accomplissement de leurs tâches. Les maladies seront souvent de nature psychosomatique. Ces individus doivent apprendre à compter sur eux-mêmes.

EN BALANCE

Ces individus rechercheront la compagnie de gens évolués. Ils démontrent un grand raffinement pour tout ce qui concerne les arts. Les unions seront idéalisées mais les relations d'affaires risquent d'être décevantes à cause d'un partenaire malhonnête.

EN SCORPION

Ces individus seront curieux de tous les mystères et en particulier celui de la mort. Ils auront un jugement sûr et tendront à exalter les unions interpersonnelles. Ils pourraient également rechercher le pouvoir pour des fins égoïstes et être parfois obsédés par les questions sexuelles.

EN SAGITTAIRE

Ces individus seront très idéalistes et auront un certain talent prophétique. Ils sont à la recherche d'une société idéale. Ils peuvent cependant s'illusionner et croire facilement à tout. Ils apprécient particulièrement les voyages sur l'eau.

EN CAPRICORNE

Ces individus auront un sens inné des affaires qui leur permet d'agir au bon moment. Ils voudront favoriser des structures d'organisation qui sont complètes en elles-mêmes. Ils peuvent également vouloir l'implantation d'une société ou d'un gouvernement totalitaire.

EN VERSEAU

Ces individus idéalisent les projets qui sont souvent inspirés. Les amis sont originaux et évolués. Il y a création de mouvements universels qui peuvent parfois être utopiques.

EN POISSONS

Ces individus seront marqués par une grande inspiration. Ils seront méditatifs et rechercheront le calme. Ils auront des dons de médiumnité et voudront dissoudre les structures périmées. Très impressionnables, ils pourront devenir l'instrument d'autrui.

PLUTON

Pluton nettoie, purifie, transforme, atomise. Il représente une force d'évolution. Il correspond aussi aux longues préparations en secret, au psychisme, à l'archéologie. Il peut signaler notre degré d'ambition et notre aptitude pour les recherches.

Dans les signes, il indiquera la façon dont nous effectuerons les changements de notre vie, comment nous réagirons face aux transformations collectives profondes et radicales qui nous permettent de grandir et d'évoluer, et par voie de conséquence, la façon dont la société évolue et grandit.

EN BÉLIER

environ 1830 à 1863

Période où l'homme a besoin de nouveaux défis qu'il relève souvent de façon brutale. L'humanité veut avancer et son ambition sera infatigable.

Exemple : La conquête de l'Ouest.

EN TAUREAU

environ 1863 à 1884

Période où l'homme s'entête dans sa façon de voir et devient dogmatique. Les idées stagnent et l'humanité veut vivre dans un confort tout bourgeois.

Exemple : L'époque victorienne.

EN GÉMEAUX

1884 à 1913

Période où l'homme remet sa façon de penser en question, où les grandes inventions se font jour et annoncent la nouveauté, en positif comme en négatif. L'humanité est en effervescence.

Exemple : Le début de l'ère industrielle avec l'invention du train, du téléphone, etc.

EN CANCER

1913 à 1938

Période où les vieilles habitudes de vie face à la famille et au foyer sont soumises à des transformations radicales. Il y a intégration et une stabilisation organique aux conditions de vie. D'un autre côté, l'humanité a besoin de nouveauté, de fantaisie et elle devient impatiente dans sa quête de plaisir.

(Période de l'entre-deux guerres).

Exemple : La société japonaise.

EN LION

1938 à 1957

Période où l'homme se transforme afin d'être en mesure de se voir et de se reconnaître dans le monde industrialisé. Il veut jouer un plus grand rôle. Il est à la recherche de son propre pouvoir en essayant de se libérer des rouages de la société. L'humanité est irritable et irascible.

Exemple : La Guerre Froide.

EN VIERGE

1957 à 1971

Période où l'homme se dirige vers de nouvelles valeurs sociales du travail. Les idées et les concepts face au travail obligatoire, (pour gagner sa vie), sont transformés de même que les mesures à prendre pour être en bonne santé.

Exemple : Le phénomène «hippy».

EN BALANCE

1971 à 1984

Période où l'homme remet en cause les structures d'association et les relations interpersonnelles. Le mariage fait partie de ces structures. L'humanité juge intuitivement et sévèrement.

Exemple : La libération de tous les tabous : sexe, mariage, femme.

EN SCORPION

1984 à 1995

Période où l'homme recherche profondément les forces agissantes au-delà de la réalité et ce qui unit les humains entre eux. Cette compréhension peut amener certains individus à assurer leur pouvoir sur les autres, en bien comme en mal.

Exemple : La période où les sciences occultes sont de plus en plus à la mode où on parle beaucoup de la vie après la mort.

EN SAGITTAIRE

1995 à 2010

Période où les valeurs sociales, religieuses, morales et philosophiques qui ne rencontrent plus l'adhésion de la majorité seront revues et remplacées par des valeurs plus universelles. Il pourra y avoir un regain de la réalité scientifique et l'humanité s'intéressera aux grands voyages.

Exemple : Peut-être des voyages vers de nouvelles planètes ?

EN CAPRICORNE

2010 à ?

Période où l'on peut anticiper la transformation radicale des structures sociales y compris celles des gouvernements et des grandes entreprises. L'humanité luttera pour de grandes causes et il y aura peut-être une guerre contre une civilisation extraterrestre.

Exemple : Un gouvernement mondial.

EN VERSEAU

Période durant laquelle l'homme désirera vivre en harmonie au sein d'une société à structure individualiste, donc, rejet des structures sociales que nous connaissons.

Il pourrait y avoir début d'échanges télépathiques à l'échelle de la planète, chaque individu pouvant alors partager avec l'autre.

EN POISSONS

Période durant laquelle l'homme réussira peut-être à aller à la source de ce qu'il est vraiment. Il pourra alors peut-être faire pleinement usage de toutes ses facultés. Ce sera certainement l'époque des plus qu'hommes et pourquoi pas, des mutants.

L'ASCENDANT

L'ascendant correspond à la vie du sujet en général. Il nous permet de transmettre dans le monde extérieur nos désirs, notre volonté, nos intentions afin de découvrir qui nous sommes : notre véritable nature, notre potentiel originel représenté par le Soleil.

Il est l'image que nous présentons à l'environnement. C'est le moyen le plus efficace pour découvrir le moi essentiel. Il est ce que les gens voient de nous et c'est en quelque sorte notre personnalité visible notre apparence physique.

L'ascendant peut également représenter la santé dans le sens d'inconfort physique quand un individu considère par exemple, qu'il lui est difficile d'extérioriser qui il est.

NOTE : Pour une meilleure compréhension de l'ascendant reportez-vous aux signes décrits dans ce livre.

Ex. : Si vous êtes Balance ascendant Bélier, vous lisez ces deux signes. Vous reconnaîtrez dans les deux cas vos caractéristiques propres. N'oubliez pas cependant que le signe représente votre essence alors que l'ascendant correspond à votre vie en général.

EN BÉLIER

La découverte de l'identité individuelle s'accomplit en prenant l'initiative en toute chose.

L'individu est un esprit libre qui veut les choses à sa façon. Il aime la compétition et ne veut pas qu'on sache qu'il est déprimé ou malheureux. Il a tendance à être impulsif et à agir d'abord pour penser ensuite. Il se battra pour ce qu'il croit.

EN TAUREAU

La découverte de l'identité individuelle s'accomplit à travers la productivité, à un niveau ou à un autre.

L'individu est calme, ses actions délibérées. Il peut être obstiné, surtout quand on le bouscule. Il travaille patiemment et ses crises profondes passeront souvent inaperçues aux yeux des autres. Il aime le confort et les bonnes choses de la vie.

EN GÉMEAUX

La découverte de l'identité individuelle s'accomplit à travers la connaissance et une multiplicité de sensations et de contacts.

L'individu est actif. Il aime se dépenser et rencontrer les gens. Il adore communiquer avec les autres. Il a de la difficulté à se concentrer longtemps sur un sujet, mais l'esprit est vif. Il paraît jeune longtemps.

EN CANCER

La découverte de l'identité individuelle s'accomplit par la réalisation concrète de l'unité à la racine.

L'individu est très sensible et attaché à un environnement familier. Il se rappelle toujours où il a vécu jeune. S'il se sent en sécurité, il peut être généreux et il est sensible aux sentiments des autres. Il est facilement blessé par la critique ou les paroles violentes.

EN LION

La découverte de l'identité individuelle s'accomplit à travers les réalisations : enfants, oeuvres d'art, etc.

L'individu aime être le centre d'attention, paraître fort et dominer. Il peut être un bon meneur mais il est souvent obstiné quand il s'agit de sa fierté. Il aime posséder des choses luxueuses et élégantes et son apparence peut être impressionnante.

EN VIERGE

La découverte de l'identité individuelle s'accomplit par des transformations progressives et la volonté de servir.

L'individu peut être timide et se croire sans intérêt. Il décèle rapidement les erreurs chez les autres. Pratique, il n'aime pas perdre son temps. Il sera d'autant plus heureux qu'il peut rendre service aux autres.

EN BALANCE

La découverte de l'identité individuelle s'accomplit à travers une forte association dévoilant qui est l'individu et ce qu'il est.

La personne est attirée par les autres et sait plaire. Elle n'aime rien qui soit déplaisant; s'habille de façon élégante et a un goût certain pour les arts. Son désir d'être agréable peut l'amener à faire trop de compromis.

EN SCORPION

La découverte de l'identité individuelle s'accomplit par l'atteinte d'une forme d'intégration organique.

L'individu sera plutôt réservé parce qu'il trouve difficile de se faire comprendre des autres. Il peut être obstiné. Il veut expérimenter la vie avec tout son être et peut aller aux extrêmes. Sensible aux émotions des autres.

EN SAGITTAIRE

La découverte de l'identité individuelle s'accomplit en basant les relations sur un thème de valeurs élargies.

L'individu est ouvert et franc mais il peut s'exprimer de façon brutale. Il a beaucoup d'énergie et a besoin de sa liberté. Il a besoin de mener sa vie comme il l'entend. Il aime les activités de plein air.

EN CAPRICORNE

La découverte de l'identité individuelle s'accomplit par l'intégration de facteurs éloignés ou d'antagonismes fondamentaux.

L'individu est réservé et ambitieux. Il veut accomplir quelque chose de significatif dans ce monde. Capable de travail persévérant. Peut paraître plus vieux qu'il n'est et considère la vie de façon sérieuse. Il a cependant un très bon sens de l'humour.

EN VERSEAU

La découverte de l'identité individuelle s'accomplit par l'intégration de la personnalité à une culture ou à un groupe.

L'individu a un esprit pénétrant et il est ouvert aux nouvelles idées. Il veut se faire une opinion par lui-même et peut avoir de la difficulté avec les autorités. Il est habituellement calme et capable de contrôler ses émotions.

EN POISSONS

La découverte de l'identité individuelle s'accomplit en renonçant à tout ce qui est solide et à toute sécurité.

L'individu est sensible et perçoit les émotions des autres rapidement. Il aime rêver et se retirer dans son univers. Il est toujours prêt à aider ceux qui en ont besoin mais il a de la difficulté à s'affirmer.

DE L'HOROSCOPE À L'ASTROLOGIE

De l'horoscope à l'astrologie ? Certainement ! La première fois que vous vous êtes intéressés à l'astrologie, c'était peut-être en lisant votre horoscope dans le journal du matin. Et c'est un point de départ aussi valable qu'un autre pour partir à la découverte de l'astrologie.

«... votre horoscope quotidien est basé sur l'interprétation qu'on donne du passage d'une durée de trente jours dans un des signes du zodiaque effectué par le Soleil à l'époque de votre naissance. Les horoscopes des journaux sont-ils vrais ? À vous d'en décider. Il n'y aurait vraiment rien de surprenant à ce qu'une telle généralisation soit fausse. Par contre, il semble que, de temps à autre, en dépit du cadre très restreint dans lequel doit évoluer l'astrologue des journaux, ces horoscopes s'avèrent exacts. Cela ne suggère-t-il pas tout le pouvoir contenu dans le symbolisme de l'astrologie ?» (p. 87 - *L'astrologie, science ou superstition?*)

Quant à nous, nous refermons maintenant la porte sur le dernier signe, notre voyage s'achève. Mais c'était aussi un voyage à la recherche de nous-mêmes et vers une meilleure connaissance des autres.

L'astrologie est un système, un système vieux comme le monde. À ses débuts, cependant, elle s'attachait plus à l'étude des peuples et des événements qui pouvaient les marquer. Aujourd'hui, l'astrologie essaie plutôt de nous donner la clef d'une meilleure compréhension de nous-mêmes. C'est un instrument de progrès et d'évolution, que vous y croyiez ou non. C'est ainsi que Jung disait :

«Les influences des constellations du zodiaque existent bel et bien ; on ne peut pas dire pourquoi : c'est comme ça. Des milliers de signes le prouvent. Mais les hommes vont toujours d'un extrême à l'autre ; ou bien, ils ne croient pas, ou alors ils sont naïfs. Toute connaissance ou conviction peut être ridiculisée en se basant sur ce qu'en font les esprits inférieurs. C'est idiot, et, par surcroît, dangereux. Les grandes ères astrologiques existent réellement. Les ères du Taureau et des Gémeaux correspondaient à la préhistoire et nous savons peu de choses à leur sujet. L'ère du Bélier est plus rapprochée ; Alexandre le Grand en est une manifestation. Le nom arabe d'Alexandre était Dhulgarnein, qui signifie «bicorne».) Elle s'étendit de 2000 av. J.C. jusqu'au début de l'ère chrétienne. Avec cette dernière on arrivait à l'ère des Poissons. Ce n'est pas moi qui ai inventé tous les symboles de poissons qui ont caractérisé la chrétienté ; les pêcheurs d'hommes et les «pisciculi christianorum» ... En nier l'évidence consisterait à jeter le bébé avec l'eau du bain.» (*C.G. Jung Speaking,* Bollingen, series XCVII, Princeton Univ. Press, 1977.)

Bien sûr, l'astrologie s'est profondément modifiée au cours des âges. Nous entrons dans une ère nouvelle, celle du Verseau, et l'astrologie aussi. Tout se tient, tout est lié et l'Homme commence peut-être à comprendre qu'en se connaissant lui-même il pourra ouvrir la porte à la Connaissance.

Mais nous voulions non seulement vous faire comprendre le cycle astrologique de l'évolution mais vous initier également aux phases zodiacales, les signes. L'Humanité aussi franchit ces étapes puisque autant pour l'homme que pour l'univers, il s'agit d'évolution.

«La vérité est que l'astrologie représente un domaine fascinant sur le point de s'éveiller. Elle recèle beaucoup de mystères, de faits se rapportant à l'histoire culturelle, à la mythologie et au symbolisme. Elle est remplie de luttes touchant la science moderne et allant même au-delà ; on y retrouve aussi toutes sortes de personnages, des plus sages aux opportunistes les plus accomplis. La vérité au sujet de l'astrologie est que ni ses opposants les plus acharnés, ni parfois ses plus chauds partisans ne comprennent vraiment de quoi ils parlent. De plus, à cause de la conspiration du silence entourant les développements importants dans cette sphère de connaissances, le public n'a aucun moyen de se renseigner sur la situation.

Certains indices permettent de croire qu'une nouvelle astrologie serait en train de naître et que le public pourrait bientôt en entendre parler.»

BIBLIOGRAPHIE

ANTARES, Georges	L'art de l'interprétation en astrologie, Éd. Flandres-Artois, 1981.
ARROYO, Stephen	Astrology, Karma & Reincarnation, Stephen Arroyo, 1978.
CURCIO, Michèle	Les signes du zodiaque, Tchou 1978 - Famot 1980.
CHEVALIER, Jean et GHEERBRANT, Alain	Dictionnaire des symboles, Robert Laffont-Jupiter, 1982.
DEAN, Malcolm	L'astrologie, science ou superstition ? Edicompo Inc., 1982, pp. 256 et 280.
GEORGE, Llewellyn	A to Z Horoscope Maker and Delienator, Llewellyn Publications, 1978.
HAMAKER-ZONDAG, Karen	L'horoscope et l'énergie psychique, Éd. Le Jour, 1983.
HAND, Robert	- Planet in Youth, Para Research, 1977. - Horoscope Symbols, Para Research, 1981.
JUNG, C.G.	L'homme à la découverte de son âme, Éd. du Mont Blanc, 1962.

LUNDSTED, Betty — Astrological Insights into Personality, Astro Computing Services, 1980.

NEVIN, Bruce — Astrology inside out, Para Research, 1982.

OAKEN, Alan — Complete Astrology, Bantam Books Inc., 1973.

PARKER, Derek & Julia — The Compleat Astrologer, Bantam Books, 1971.

REINICKE, Wolfgang — L'astrologie pratique, Éd. Le Jour, 1983.

RUDHYAR, Dane — Les maisons astrologiques, Éd. Du Rocher, 1982.
Les aspects astrologiques, Éd. Du Rocher, 1980.
The Astrology of Personality, Doubleday, 1970.

RUPERTI, Alexander — Les cycles du devenir, Éd. Du Rocher, 1981.

SAKOIAN, Frances & ACKER, Louis — The zodiac within each sign, Frances Sakoian, 1975.